JN075527

RN15
FRONTIERE
BURKINA

河出文庫

果てまで走れ！
157ヵ国、自転車で
地球一周15万キロの旅

小口良平

河出書房新社

はじめに

2016年9月25日、約8年半に及ぶ僕の自転車地球一周の旅は、ニューヨークでゴールを迎えた。

日本をスタートしてオセアニアからアジア、ヨーロッパ、アフリカ、そして、アメリカ大陸を北から南へ走り続けた僕の旅。訪れた国は157ヵ国、走破距離は155,502km。それらは日本人として1位の記録らしい。……らしいというのは、僕自身、その実感があまりないし、旅の最後の方は記録へのこだわりもなくなっていたからだ。

自分にまったく自信が持てず、自己嫌悪すら感じていた学生時代。そんな時に、あるきっかけからバックパッカーとして訪れたチベットの旅が、僕の夢の始まりだった。

就職し、必死に節約生活をしながら旅の資金を貯めた。日本一周に出る前の約4年半で800万円、地球一周へ向かう前にさらに貯金して、最終的に1000

万円を貯めた。

〝男子は生涯一事を成せば足る〟

僕はこの旅を通して、自分の人生を変えたかったのだ。

旅を始めるにあたって、自転車で世界を回った人についていろいろと調べた。すると待井剛(まちいつよし)さんという人が、15年くらいずっと、自転車地球一周の日本人記録を持っていたことがわかった。

僕はその名をどこかで見たことがあった。しばらく記憶をさかのぼるが、なかなか思い出せない。

待井さんは佐川急便のドライバーをして2年間で1000万円を貯金し、1992年から1998年にかけて、117ヵ国、116,780㎞を走破。旅での体験を、地元の信濃毎日新聞に「自転車世界ひとり旅」として連載していた。

そう、待井さんは僕と同じ長野県・諏訪地方出身だったのだ。

それを知った時、記憶の中の待井さんが突如現れた。

待井さんが世界を回っている頃、僕は中学生だった。そして学校に置いてあった信濃毎日新聞で、待井さんの記事を見たことがあったのだ。内容ははっきりとは覚えていないが、「自転車で世界を回っている待井さん」というフレーズは記憶に残っている。

当時の僕は、待井さんに憧れるのでもなく、どこか遠い国の人だと思っていた。ただ胸に抱いた一つの感情は、いまでも鮮明に覚えている。

「なんでこの人は、こんなに一生懸命になれるのだろう……」

いまなら待井さんが世界を目指した理由がわかる気がする。幼き頃に抱いた疑問は、時を経て解けたのだった。

自転車地球一周旅から帰国して3ヵ月後、高校のサッカー部の仲間で集まる新年会があり、そこに当時の顧問の先生を呼んだ。すると先生からは「お前がまさかこんなことをするとは思わなかった。このメンバーの中で一番自己主張をしなかったし、何を考えているかわからないヤツだった」と言われた。

周りから見た僕はそんな印象だったのだろう。そして、いまでもそれは180度変わったわけではない。旅をやり遂げてもちろん達成感はあるが、正直……自分に自信はないままだ。

それでも旅を続けていると、毎日のようにみんなから「すごいね！」と言われて、これまでの人生で体験したことのない〝ヒーロー〟のような気分を味わうことができた。

それだけでも僕の心には大きな余裕が生まれた。

そして、自転車地球一周旅という壮大な目標を達成すれば満たされると思っていた僕の心は、いま、別のもので満たされている。

それは〝人との出会い〟だ。

自分の行動によって誰かが元気になったり、その結果として自分が元気をもらえたり。世界中でたくさんの笑顔を共有できたからこそ、こんなにも充実した気持ちで日本へ帰って来られたのだろう。

僕は自転車冒険家と名乗ってはいるが、いわゆる極地冒険家のような人ほどストイックではない。迷って、壁にぶつかって、その度に人に助けられて、自分の無力さを痛感して……その連続だった。

そんな僕の旅を、一人でも多くの人に知ってもらい、あわよくば笑ってもらえたらうれしい。

果てまで走れ！　157ヵ国、自転車で地球一周15万キロの旅

目次

第1章 地球一周旅への助走

第2章 アジア・オセアニア編

第3章 ヨーロッパ・アフリカ編

第4章 南北アメリカ編

第5章 夢の持つ魔法の力

果てまで走れ！　１５７ヵ国、自転車で地球一周15万キロの旅

本文デザイン　TwoThree
編集協力　ケイ・ライターズクラブ

第1章
地球一周旅への助走

本気でやりたいことも夢もなかった21歳の僕

ドラえもん、警察官、サッカー選手、お医者さん……。小学生の頃から、よく作文で将来の夢を書かされた。そう〝書かされて〟いた。自分で書こうと思って書いたのではない。

漠然と思い描く夢はいくつもあった。いや漠然だったからこそ、〝いくつも〟あったのだ。夢なんて、あくまでも将来のこと。将来になったら真剣に考えよう。そう思っていまを楽しく友達と過ごすことで、不安を隠していた。気がつけば漠然と思い描いていた夢は、当然のごとく漠然としたまま消え去っていった。

小学校から高校まではずっとサッカーをやっていた。ただそれも、仲のいい友達がやっているから自分もそうしていただけで、「プロのサッカー選手になりたい！」というような強い想いがあるわけではなかった。

高校を卒業した時も、自分がやりたいことは何かわからなかった。ただ、すぐに働きたくはなかったし、周りの友達が大学へ行くので、〝とりあえず〟という気持ちで自分も大学へ行った。

「４年間の猶予期間でやりたいことを見つけよう」

それも漠然とした考えだったので、結局４年かけても、やりたいことは見つからなかった。でも、３００万円の奨学金を返さないといけないし――。就職活動を始めた理由はその程度のものだった。

大学の先生に「就職に有利だから」と言われて、宅地建物取引主任者（現・宅地建物取引士）やファイナンシャル・プランナーの資格は取った。そのおかげなのか、面接は比較的うまくいっていたのだが、「ここで働きたい！」と思える会社はなく、「このまま就職しちゃっていいのかな……」という気持ちがますます強くなっていった。

そんな悶々とした感情を抱えて就職活動をしていた21歳の時。僕は自宅でごろごろしながら、ふと故郷・長野のことを思い出していた。

「温泉にでも入ってスッキリしたいな……」

それはただの思いつきだった。

「関東で温泉……箱根かな」

箱根という響きにひかれただけ。これまでの僕なら、思いついても実際に行動に移すことはなかっただろう。ただその時の僕は、何かが違った。きっと、就職活動で抱えていたストレスが爆発したのだろう。

思い立った時点で終電の時間は過ぎていた。僕はすぐさま身支度をすると、どこにでもあるママチャリで走り出していた。

「箱根駅伝で走っていける距離だから、自転車なら余裕だろう」

サッカーをやっていたこともあり、体力には自信があった。実際、走り始めると「これは楽勝かも」と思えるぐらい、順調に進んでいく。

しかし、その勢いはすぐに失われた。無理もない、生まれてからいままで、そこまで長い時間、同じ場所に座っていたことなんてないのだから。走り始めて20kmぐらいで、尻はサドルとの摩擦熱で火傷(やけど)状態。傷口に唐辛子を塗られたようで、肛門から悲鳴が聞こえる。膝はまるで足の小指をタンスの角にひっかけたような、なんとも言えない痛みにずっと襲われていた。

その時点で、帰ることも頭をよぎった。この思いつきのチャレンジをすることは誰にも言っていないので、別に恥ずかしいこともない。

途中のコンビニで空腹を満たしながらしばらく考えたが、さすがに情けなさすぎると思い直し、再び走り始める。でも、失われたスピードが戻ることはなかった。なんとか40㎞ぐらい走って湘南に辿り着いたものの、そこでもう限界。国道134号線沿いにあるコンビニの駐車場で、僕は倒れ込んでしまった。

「箱根までまだ半分も走ってない……」

すでに心は折れかけていた。

「こんなところまで来て、俺は何をしてんだ……やっぱり何もできないのかよ……」

夏の匂いを残した湘南沿いの134号線は、若者たちの陽気な声が耳につく。精も根も尽き果てた僕は、空を見ながらコンビニの駐車場で横になっていた。流れる涙を止めようとして見上げた空が青すぎて、なんだか憎らしかった。僕はとことん非力だ。決して特別な存在ではなく、ただの凡人なのだ。そんな僕が夢を探しちゃいけない。自分に期待をするのはよそう。その方が楽に生きていけるのだから——。

そんな僕の視界に、しわしわの手につかまれたペットボトルが飛び込んできた。

「あんた〜こんなところで寝て何してるの？」

通りすがりのおばあちゃんが、お茶を差し出してくれていたのだ。

「あんた、泣いてるの？」

泣いている姿なんて見られたくないのですぐに隠したが時すでに遅し。

「汗と涙は人のために流すものよ。ひとまずこれを飲みなさい」

予期せぬ出来事に戸惑いつつも、隠したはずの涙が再びあふれてきた。おばあちゃんが去った後、すぐに動くこともできず、もらったお茶を飲みながらしばらく物思いに耽(ふけ)っていた。

自分のやりたいことはまだ見つからない。でも、どうせこの先生きていくのなら、あのおばあちゃんみたいに人に優しくできる人間になりたい。そのためには、何でもいいから自分に自信を持てるようなことをやり遂げたい――。

それと同時に、自転車でここまで走っていなかったら、あのおばあちゃんに会えなかったのだろうなとも思った。

おばあちゃんとの出会い以降、ママチャリはぐいぐい進んだ。当時僕が住んでいた東京の板橋から約１００㎞、僕は箱根へ辿り着いた。

僕の人生で初めて得た達成感。温泉に入ってスッキリしたのは、身体だけではなかった。

箱根から戻った僕は、本気で就職活動に取り組んだ。まだやりたいことは決まっていないけれど、働くことで達成感を得ることができれば、その先に何かが見えてくるかもしれない。

しばらくして、僕は建設会社への就職が決まった。

チベットの旅で見つかった人生初めての夢

就職も決まり、卒業までしばらくのんびりする時間ができると、大学生活の最後に何かしたいと考えるようになった。

ただ、やりたいことは、そう簡単には見つからない。急に周りの友人たちが気になりだした。

「そう言えば、よく海外旅行している友達は、帰ってきてから、いつも良い顔をしてたな」

彼らの話も昔だったら他人事のように聞いていたが、何かしたいと思っていたその時の僕には魅力的に聞こえた。就職したら自由な時間は持てなくなるかもしれない。それなら、いまのうちに旅に出てみるのも悪くない。

どこか行きたい国があるわけでもなかったので、とりあえずは世界地図を眺めてみた。すると、カタカナで書かれた〝チベット〟の文字が目に飛び込んできた。

「なんかチベットって聞いたことあるな……」ぐらいの印象。

不勉強で、その時はチベットが南米にあると思っていた。同じカタカナで、山のイメージの〝アンデス〟と勘違いをしていたのだ。

「えっ、チベットって中国にあるの？　よし、行ける！　なんだか〝秘境感〟あるし、友達にも自慢できるはず！」

ママチャリで箱根へ行った時のような思いつきで、僕の旅の行き先は、チベットに決まった。こうして、あの時と同じようにワクワクドキドキの旅が始まった。

チベットへ着いてまず驚いたのは、いろんな意味でいい加減なこと。出発前、チベットは信仰心が篤く、敬虔(けいけん)な人が多いイメージだった。ただ実際に行ってみると、それはイメージでしかなかった。電車を待っていると列に並ばずに割り込んでくるし、ゴミは投げ捨て、痰は吐き捨てる。店では値段がバラバラで、スキあらばぼったくりもしてくる。

暮らす人々の多様さにも驚かされた。ここに住む人々は、同じような顔立ちをしているのに、言葉も、食べるものも、文化も違う。そんな人々が共存していたのだ。

日本とは違う彼らの暮らしぶりは刺激的だった。

これまでの僕は、「敷かれたレールに乗った人生」を送っていたと思う。でも、どこかであえてそれを踏み外したい気持ちもあった。

高校へ行って、大学へ行って、結婚して、子どもができ、子どもが巣立ったら、両親の面倒を見て……。それを否定はしないけれど、「それって絶対やんなきゃいけないの？」という気持ちが、いつもどこかにあったのだ。昔からあまのじゃくな性格だけは人一倍強かった。

僕はいつも自信がなかったし、自分に何ができるかもわかっていなかった。けれど、何かやってみたい気持ちはずっとあった。

それがこれまでの僕の人生。

でも、チベットで多種多様な人々とその生き方を目の当たりにしたことで、極論、「誰かに迷惑さえかけなければ、それでいいじゃん」と思えるようになった。

チベットでこれだけの人を見られたのだから、世界中を回ったらどれだけの人と出会えるのだろう……想像するだけでワクワクしてきた。

しかも自転車で世界を旅したら、〝134号線のおばあちゃん〟みたいな出会いがあるのではないだろうか。

「自転車地球一周旅」

僕の人生で、初めて本気になれる夢が見つかった。

サッカー選手にはなれなかった。大学では法学部で学んだけれど弁護士になれなかった。いま考えてみると、「なれなかった」のではなく、「本気でなる気がなかった」のだ。

今回の夢は、本気で成し遂げたいと強く思えた。

なんとなく決めたチベットの旅で、僕は人生を左右する大きな収穫を得ることができた。

おにぎりを食べ続けて手に入れた800万円

大学を卒業した僕は、建設会社で働き始めた。

仕事を覚えることに追われる日々の中でも、心の中には常に「自転車地球一周旅」があった。

旅を始めるには、とにもかくにもお金がいる。奨学金も返済し終わっていないので、日々の生活費を節約するしかなかった。

一日に30本は吸っていたタバコを入社と同時にやめ、好きだった映画鑑賞や、音楽を聴くのもやめた。

余暇にかけるお金はゼロにしたかった。

ただ、好きなことをやめるだけではお金はなかなか貯まらない。ほかに節約するところといったら、食事しかなかった。

そこで僕が始めたのが「お米生活」。

食事代を減らすには、お米を買うのが一番。朝起きると、お米を炊く。朝食はちょっとぜいたくして納豆ごはんか卵かけごはん、昼食はおにぎりだけ、そして夜は食べないという生活を始めた。

会社に持っていくおにぎりは海苔も巻かずに、米一合分のでっかいものを一個。いわゆる〝ばくだんおにぎり〟だ。

それを会社で来る日も来る日も食べ続けた。

入社以来、僕は節約のために先輩や同僚からのプライベートの誘いを断っていた。きっと何を考えているかわからないヤツと思われていたはずだ。さらにそいつは、毎日おにぎりばっかり食べている。

皮肉の意味も込めてだろうけど、僕は会社で「おにぎりくん」と呼ばれていた。でも、そんなことは全然気にならなかった。これはある意味、自分への〝テスト〟だった。

「夢のために節約生活すらもできないヤツが、地球一周なんかできるわけがない」

その想いだけで、モチベーションを保っていた。

そんな生活を3年4ヵ月間続け、退職後もアルバイトをして、4年で約800

万円を貯めた。

僕にとって、おにぎりが自分と夢をつなぎ止めてくれる唯一のものだった。これを食べ続けている限り、夢はどこへも行かない気がした。

最初はこの〝旅〟に反対していた両親も、節約生活で８００万円を貯金したことを伝えると、「人様に迷惑をかけないのなら、自分の人生だし、好きにしなさい」と言ってくれた。

両親のその言葉を聞いた時にふと思った。

貯金を始めた当初は、単純にお金がなければ旅を続けられないからという理由だったけれど、本当は旅への〝挑戦権〟を得るためにお金を貯めていたのだと。

同時に、僕はこれまでの人生で、初めて自分で決めたことを成し遂げた気がした。

大学を卒業した２００３年から２００７年まで続けた節約生活。僕は会社を辞め、いよいよ旅に出る準備を始めたのだった。

自転車地球一周旅の〝前哨戦〟が幕を開ける

会社を退職してから気づくことは多かった。特に思い知らされたのは、いかに会社が社会から僕を守っていてくれたかということだ。

僕は会社が嫌で辞めたわけではない。むしろ最後の方は、会社が楽しかった。もちろん仕事では嫌なことや、つらいこともあって、何度も向いてないと思ったし、辞めたいと思ったことも一度や二度ではない。それでも、自分が関わった仕事でお客さんに喜んでもらえることが増えていくにつれて、やりがいを感じるようになっていた。上司はこのうえなく尊敬できる人で、社会人とはこうあるべきという、僕の理想像になった。

会社への感謝の気持ちは忘れないし、入社させてもらったことに恩義も感じている。それでも一度決めた夢をやり遂げなければ、結局いままで通り、後悔の人生になってしまう。

これ以上、夢を想い続けるだけの人生を送る自信はなかった。

もしいま行動しなければ、きっと30年後に後悔する。50年後には、後悔したことさえも忘れているかもしれない。

「やらずの後悔だけはしたくない！」

そう思って僕は、最終的な決断を下したのだった。

チベットで自転車地球一周旅を決意した時、「世界中を見て回ってやる！」という気持ちと同時に、「日本をもっと知ったうえで、自分の国がどんな国かを出会った人たちに伝えたい！」とも思っていた。

だからこそ、自転車地球一周旅の１ヵ国目に選んだのは日本だった。もちろん、世界を回る〝前哨戦〟の意味合いも含んでいた。

出発前日は、興奮と連日連夜の準備でよく眠れなかった。

２００７年３月９日、日本一周出発の日。

実際にその時になると、思い描いていた華々しいイメージとは違った。実家から自転車に乗って、ちょっとお買い物に行くような感覚。このまま日本一周に出るなんて、自分でも不思議なくらい実感がなかった。

とはいえ、天気は快晴。家族と友達に見送られ走り始めると、すぐに気持ちも盛り上がっていく。ベタだが出発日にちなんで、レミオロメンの名曲「3月9日」を聴きながら走り出した。

長野県岡谷市の自宅を出て5分の距離にある激坂で、僕はよくトレーニングをしていた。通い慣れた高校の通学路で、愛称として〝小口坂〟と名付けていた。そんな思い入れもあり、出発時にこの坂を上り、煌々と照らされた八ヶ岳と諏訪湖を見て、僕はようやく旅に出たことを実感した。

出発前、僕は母親に頼みごとをしていた。

「おにぎりを握ってほしい」

夕飯代を浮かすためということもあるが、しばらく食べられなくなるおふくろの味を記憶に残しておきたかった。

母親は二つ返事で了承してくれた。

日が暮れるまで走り、いよいよ夕食タイム。弁当袋を開けてみると、おにぎり、唐揚げ、玉子焼き……それと手紙が入っていた。

コンロで火を熾こし、スープを飲んで温まりながら手紙を読んだ。そこには母からのメッセージがつづられていた。

『いよいよこの日を迎えたね。長い道のりだったと思うけど、お母さんにはあっという間だったな〜。良平が休みに帰省して、再び東京へ戻る姿をこっそり見送ったっけ。だって駅のホームやバス停まで見送るのを恥ずかしがっていたから、線路沿いや駐車場からこっそり見てたんだよ。大学生、社会人になり、自分のやりたいことを見つけた良平にびっくりすると同時に、心から安心した。そのうち仕事に慣れ、彼女でもできてあきらめるだろうな……とか思ったりして。本当によくがんばったね。でも、今日の今日まで「やめるよ」と言ってくれたらな〜と思わない日はなかったよ。がんばり屋だから、目標のために無茶をしないかと心配は尽きないけど、待ち続けている家族を思い出し、はやる心をコントロールしてね。無事に戻ってきてね。行ってらっしゃい！』

震える手を押さえながら、何度も何度も読み返した。いまは泣けない。泣いてしまうと、旅は続けられなくなる気がするから。

母親の握ってくれたおにぎりは、いままで何百回、自分で握ったものよりもはるかにうまかった。

〝ヒーロー〟はみんなに背中を押されて走る

日本一周をするにあたり、僕はいくつかのルールを自分に課した。
1、車のご当地ナンバーがある105ヵ所を訪れる。
2、47都道府県の最高峰の山に登る。
3、ホテルや旅館は使用しない。
4、ヒッチハイクはしない。
5、感謝の気持ちを忘れない。

僕はルールがある方が燃えるタイプだった。

旅の相棒となる自転車は、かつて箱根を訪れた時に乗っていたママチャリ……ではもちろんない。

台湾生まれのGIANTというメーカーの「GREAT JOURNEY」というマウンテンバイク。キャリアにバッグが4つ付いて9万円ちょっとと、お買い得だった。僕はその自転車を「小春（こはる）」と名付けた。

当時好きだった子の名前と、自分の名字の頭文字をくっつけた。いま思うと、なんて女々しい名前なのか……。しかしなんと言われようが、その時の僕は「こはる」という音の響きが気に入ってしまったのだ。

長野を出て、最初に目指したのは東京だった。そこから関東を回り、太平洋側を三陸海岸へと北上し、津軽海峡を越えて北海道を一周。今度は日本海側を南下し、再び東京へと戻った。そこからは太平洋側をひたすら西に向かい、中部、近畿、中国地方へ。四国、九州、沖縄はぐるっと一周した。

最初に決めたルール通り、寝る時はテントなしで、寝袋に包(くる)まり野宿。もしくは、裸に近い状態で路上に寝たこともあった。僕はそれを〝獣寝〟と呼んでいる。

しかし、旅を続けていると、身体のあちこちが悲鳴を上げ出した。それからはいろいろな旅に関する本を読みあさり、自転車やアウトドアグッズを研究し、店を回ってアイテムを集めた。

こうして経験値を積みながら続けていった日本一周自転車旅。そこで、僕は毎日〝ヒーロー〟だった。

すれ違う人が珍しがって話しかけてくれるし、会う人のほとんどが「すごいね！」とチヤホヤしてくれる。

それは、僕のこれまでの人生とは真逆の体験だった。

僕は小さい頃から目立つことが恥ずかしくて大っ嫌いだったし、そもそも目立つようなことをできるような人間でもなかった。だから、みんなの視線を浴びることにしばらく慣れなかった。それでもやっぱり気分が良かったのは間違いない。注目を浴びるのは街中だけではなかった。僕は走り始める少し前から、ブログを始めていた。

せっかく旅をするなら、ゆくゆくは本を書いてみたいと思っていたので、勉強がてら、日々の記録をブログにつづった。

旅の最初の頃は「ブログ見たよ！　がんばってるね！」とか、周りの人たちからの反応もあってすごく楽しかった。

でも、スタートして半年ぐらいが経ったある時、旅を〝第三者目線〟で見ている自分がいることに気がついた。

「これをどうやって文章にしようかな」

「ここで笑った表情の写真が1枚いるな」

旅を心から楽しめていないことを痛感した僕は、しばらくブログを更新するのをやめた。それから3ヵ月くらいして、元会社の同僚から連絡が来た時に、「最近、ブログを書かなくなったね」と言われた。

「いやー何か本当に楽しめなくなったからさ〜」

「楽しむことも忘れちゃいけないけど、一度やると決めたことをやめるのは〝逃げ〟だよな」

そう言われてはっとした。

仕事も旅もそうだけれど、続けていくうちに、くじけそうになる時が必ず訪れる。それはブログだって同じだ。

僕がブログを書くことで一番やりたかったこと……それは、本を出すことではなく、応援してくれるみんなに「今日も元気で走ってるぞ！」と伝えることだったのかもしれない。

そこから僕は、再びブログを書き始めた。見てくれている人たちの声が背中を押してくれたし、一人で旅をしていても、みんなの気持ちも引き連れて走っているような気持ちで僕は前に進んでいた。

日本一周旅が完結、感謝を胸にいざ世界へ

３４７日目。いつもと変わらぬ朝。その日は静かにやってきた。外は何かに挑む焦るわけでもなく、自分でも不思議なくらい落ち着いていた。外は何かに挑むにはこれ以上ないほどの晴れ。この年一番の寒波も去り、これからは一気に春がやってくる。

２００８年2月。長野県の白馬まで辿り着いた僕は、あと90㎞進めばゴールというところまで来ていた。

佐野坂峠を登り切れば、最後のチェックポイント・松本が見えてくる。白馬からずっと続く山脈、その中には〝山岳の王者〟上高地もある。塩尻で国道19号から国道20号に変わった。

「岡谷──13㎞」

とうとうゴールまでのカウントダウンが始まった。最後の関門・塩尻峠がやってきた。出発時に通った際は、まだ自転車に乗り始めたばかりで、つらくて仕方

がなかった。しかし、日本中の坂、峠、山道をくぐり抜けてきた自分にとってはもはや敵ではなく、つらさなんて感じなかった。一漕ぎ、一漕ぎを噛みしめる。峠の向こうから光が差し込む。これほどわかりやすい峠の頂上も珍しい。１０１２ｍの頂上を越えた先には、ゴールの岡谷が見えた。

ついに帰ってきたのだ。

旅の記憶がまるで昨日の出来事のように蘇る。日本中でさまざまな人たちに出会い、その優しさに助けられた。

特に思い出されるのは、旅を始めて10日目、相模湖の自転車イベントで出会ったＧＩＡＮＴのプレス担当、渋井亮太郎（しぶいりょうたろう）さんだ。

渋井さんには「いまだかつてこんなに荷物を載せたチャリを見たことがない」と言われた。右も左もわからないまま出発した僕は、いるかいらないのかの判断に迷ったものは、すべて持っていくことにしていた。そのため、出発時の荷重は65kgにもなっていた。

渋井さんはそんな僕を馬鹿にすることもなく、自転車について優しく説明をしてくれた。

「メンテナンスを定期的にしてあげないと、彼女（小春号）が機嫌を悪くするよ」

そう言いながら、これまで整備を怠ったことでこびりついた汚れを、1時間かけてキレイにしてくれた。

旅を始めたばかりで不安だった僕の心を一気に温めてくれたあの日を、決して忘れることはできない。そして、それからも日本全国で僕の心は温められっぱなしだった。

峠から一面に広がる銀色の諏訪の町。目に飛び込んでくる雄大な八ヶ岳。諏訪独特の身を切るような風。いままで回ってきた日本のどの場所よりも寒い。

「そう……この寒さ……さすが諏訪！」

この厳しくもいとおしい寒さが、故郷に帰ってきたことを実感させてくれる。心、身体、小春号、三位一体となってゴールした。

347日間で総走破距離は23,093㎞。

1日平均70㎞、多い時は200㎞走った。最初のルールで決めたご当地ナンバーと登山も、9割ぐらいは達成できた。残りは世界を回った後の楽しみに取っておこう。

日本一周を終えても、世界を回る気持ちに揺らぎはなかった。それは日本一周で満足しきれなかったわけではない。みんなに言った手前、引くに引けないからでもない。

こんなにも素晴らしい旅は自分にしかできなかったと思っている。

気持ちはチベットの時のままだ。

家でずっとずっと待っていてくれた両親。本当にわがままさせてもらってありがとう。これからもっとわがままさせてもらうけど、ごめんね。いままで出会った人、物、自然……すべてに感謝したい。この感謝の気持ちをいつまでも忘れずに、世界を走りに行くよ。

フライングの世界挑戦でワクワクをゲット!

日本一周旅の最中に、実は僕はすでに世界へと足を踏み入れていた。

それは台湾。

日本一周のルートを考えている時に、台湾行きも計画には入れていた。ただ夕イミングが合えば……ぐらいに考えていて、どちらに転んでもいいように、パスポートは持って旅に出ていた。

台湾行きを考えた理由、それは僕の自転車・GIANTの生産地だからだ。〝小春〟も生まれ故郷を見たいだろう。それに、台湾ぐらいの距離なら、地球一周に挑む前に〝フライング〟してもよいかなとも思った。

いざ沖縄に着いたら、石垣島から「飛龍」という名前の台湾・基隆(キールン)行きの船がタイミング良く出ていた。

台湾ともう一つ、考えていた場所もあった。それは北海道から行けるサハリン。ただし、ロシアはビザを取るのが難しかった。ロシア領事館へ行っても全然相手にしてくれなくて、いろいろな旅行会社にも行ったけれど、渡航すること自体が難しかった。

一方、台湾は日本と友好関係にあるので、パスポートさえあれば船に乗って簡単に行くことができた。

結果的に、サハリンではなく、台湾に行って良かった気がする。台湾では滞在した16日間で、1000円しか使わなかった。その1000円も、お土産で買ったカラスミ代。

つまり僕は台湾で一銭も使っていないのだ。

台湾は親日かつ、GIANTの生まれ故郷ということもあり、自転車旅をする僕にとても好意的だった。

GIANTショップでシャワーを貸してくれたり、「お前日本人か？」と70歳くらいのおじいちゃんに話しかけられ、日本語で話すのがうれしいからと言って家に呼ばれたりした。ほかにも出会う人みんなが「台湾へようこそ！」と歓迎をしてくれ、一人になる時間がないぐらいだった。

これがサハリンだったら極寒の地で寒さとヒグマの恐怖に震えながら走っていたかもしれない。その過酷さにびびってしまって、世界へ出るのをためらってしまったかもしれない。

日本一周旅の途中だったが、台湾を訪れることができて本当に良かったと思う。海外で走る自信も少しついたし、その何倍もの世界への〝ワクワク〟を、ここでもらうことができた。

さあ次は地球一周だ！　待ってろ世界！

Column 1

自転車地球一周の定義とは？

地球一周の明確な定義はない。ウィキペディアでは、「ある地点と、その対蹠地（地球の反対側となる地点）の両方を通る、大きな円を描く経路」とされているが、実際には手段に基づく制限などが存在する。

中には「すべての子午線を横切って出発地に戻る」や、「五大陸すべてを経由して出発地に戻る」などを定義とする人もおり、さまざまだ。

そもそも地球をぐるりと一周するだけならトータルで約4万kmだが、世界の国々を回るとなると途方もない距離を走行することになる。僕が旅に出た時点で、日本で確認できる自転車地球一周の記録は、1998年7月から2009年10月まで、約11年間で130ヵ国を訪問し、のべ151,849kmを走破した、兵庫県出身の中西大輔さんが最高位だった。

僕は結果として、その上をゆく、157ヵ国、のべ155,502kmを走破し、日本人記録を更新した。

しかし、結局のところ、定義の仕方は人それぞれなので、僕の記録も僕の定義によるものだ。ただし自分の中でこだわっていたことがあり、それは「同じルートを走らず、一筆書きで五大陸を走破すること」だった。

当初立てた計画の中でベストを尽くしたかったし、当時は情勢的に行くのが難しかったミャンマーなど、後に行けるようになった場所はたくさんあったけれど、自分の美学として、残した国を後から回るようなことはしたくなかった。

第2章
アジア・オセアニア編

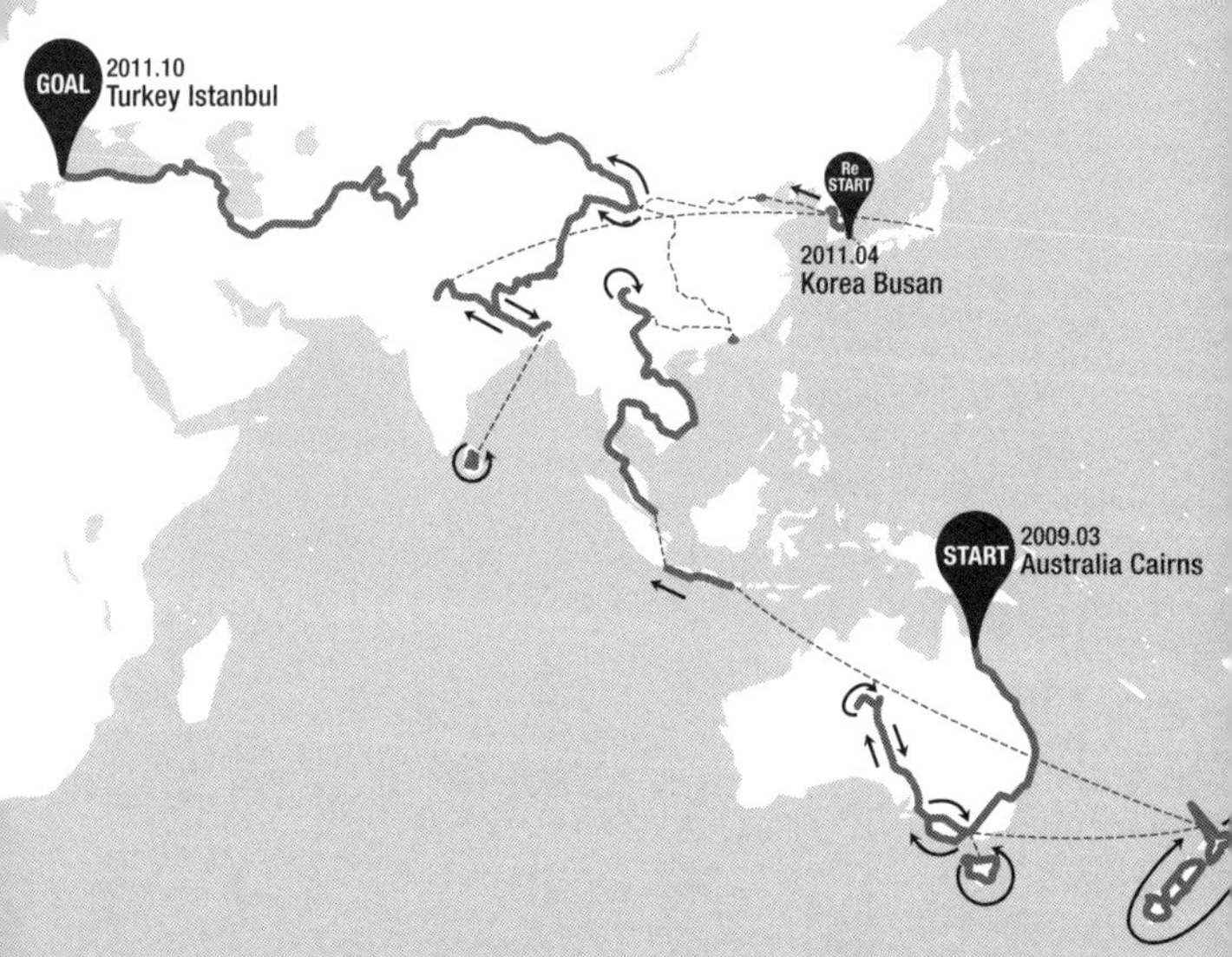

地球のへそで地球一周旅のビギナーを卒業

［2009年3月〜9月／オーストラリア］

2009年の3月初旬。僕は旅の準備に追われていた。荷物の準備、旅のルートの確認、自転車のメンテナンス……。

出発直前まで仕事もしていたので、かなりバタバタしていたのだが、なんとか出発日までには準備を終えることができた。3月9日、成田空港で18人の仲間たちに見送られ、僕の自転車地球一周旅がいよいよスタートした。

向かったのはオーストラリア。旅のスタート地点としてこの国を選んだのは、ワーキング・ホリデー発給の有効期間が1年もあるし、英語の勉強ができると思ったこと、そしてこの時期に渡れば、旅の間に季節が秋から冬に移り変わるので、現地の暑さを避けられると思ったことが主な理由だ。

胸にたくさんのドキドキを秘めて、ケアンズから始まった旅。僕の取った北から南へのルートは常に向かい風を受け、さらに熱帯気候特有のスコールにも度々見舞われた。海外での自転車旅の洗礼を早くも浴びつつも、この土地に順応しながら、ひたすら南下する。

シドニー、メルボルンを通り、8月にアデレードへ。大陸の東側を１５０日以上かけて走り抜けてきた僕は、オーストラリアに行ったら必ず訪れようと考えていた〝地球のへそ〟「ウルル（旧名エアーズロック）」に向かうことを決めた。

ウルルへの挑戦は、自転車地球一周旅を成し遂げられるかどうかの、最初の〝試金石〟になると考えていた。

オーストラリアを真っ二つにする縦断道路、全長２８３４㎞のスチュアートハイウェイ。そのど真ん中にあるのがウルルだ。これを走破できれば、この先の旅を続けるにあたって大きな自信になるだろう。

アデレードからウルルまでの道のりは、それだけ過酷なのだ。

「約８５０㎞行くと、世界一のオパールの町クーバーペディがあって、その次の町が約７００㎞先で……」

道中は１５０㎞おきくらいにガソリンスタンドやウォータータンク（貯水タンク）があるのみ。そのため、水や食料だけで通常よりも26kg増し。トータルで67kgの荷物を持って進まなければならなかった。

8月のオーストラリアは冬の冷たい南東風の吹く季節。その風に加えて、たまに通る「ロードトレイン」というオーストラリアでよく見る馬鹿デカいトレーラーによって吹き付ける風に何度もあおられた。「くそー！　負けるかー！」と自転車にしがみつくようにして耐えながら進む。

昼間は気温が30℃を超えることもあるが、空気は乾燥していて、走っている分には風も受けられたので、そこまで暑くは感じなかった。

それでもオーストラリアは、日本の7倍くらい日射が強い。日本では肌を出して走っていても平気だったけれど、ここでは日差しをもろに浴びると疲れがたまり、熱中症のような状態になってしまう。できるだけ肌を露出しないように長袖の服を着込み、さらに帽子とサングラスも欠かせなかった。

ここに向かう前、地元の人たちから、道中のキャンプではサソリやヘビに気をつけろと言われていたのだが、実際はそれらよりも苦しめられたヤツらがいた。

「あぁぁぁ、痛てー！　な、なんだ⁉」

全身に強い痛みを感じて夜中に目を覚ます。すると身体中を這う黒い何かが……それは〝アリ〟だった。軍隊アリと呼ばれるオーストラリアの砂漠に生息する巨大なアリが、僕の食料の匂いを嗅ぎつけてテントに入り込み、寝ている僕に咬みついていたのだ。

「アリに殺される……」

この時はホントにそう思った。

アリのほかにも、ディンゴという野犬が、気づくと数メートル先まで近づいていたこともあった。こうした野生の危険を感じてからは、テントを張る時には地面にアリの巣穴がないかや、料理の時の匂いでディンゴをひきつけないかにも、細心の注意を払うようになった。

毎日、向かい風と戦いながらの走行が続く。1日100kmの走行は3日で慣れるが、70kg近くの荷物を装備して1日11時間、150kmオーバーの走行はいつまで経っても慣れない。

たまにぽつりと湧き上がる感情は、飢餓感と虚無感。道端に散在する生物の死骸が、よりいっそう僕を孤独にさせる。シンプルな一本道を、ぼんやりゆがむ地平線を見つめながらひたすら走り続けていると、「地球って丸いんだな……」というシンプルな事実に気づかされる。一日の半分くらいは意識が遠のいた状態で、

１７００㎞の道のりを約10日間走り続け、なんとか念願のウルルに辿り着くことができた。

淡々としながら何もない世界を進む中で、ウルルは、突如目の前に広がったわけではなかった。

「あれかな……？　あれかな……？　やっぱりあれだ！」

ウルルは、何百キロも前から僕にその存在をアピールし、近づくにつれてその壮大さがじわじわと伝わってくるような感動があった。近くで見る岩肌はゴツゴツしていて、無機質なのにまるで一つひとつのコブが細胞のように脈を打ち、呼吸をしているようだった。

「よっしゃ～〝ビギナー〟卒業試験に合格だ！」

気がつけば、オーストラリアに来てから２００日が過ぎていた。

半年以上経って、次でようやく3ヵ国目。旅の当初は、目標を１２０ヵ国で設定していたのだが、このペースだと地球一周を終える頃には80歳を過ぎたおじいちゃんになってしまう。さあ、次の旅へ走りだそう！

ギネス登録の世界一の急坂にチャレンジ！

［2009年9月〜2010年3月／ニュージーランド］

9月30日、メルボルン発の飛行機に乗り、北島北部の都市オークランドへ到着。自転車地球一周旅は3ヵ国目のニュージーランドに突入した。

よくニュージーランドは日本に似ていると言われる。同じような形の島、富士山とマウントクック、魚介類好きな食文化、人々が半歩引いたような遠慮の気遣い。共通するものが多く、日本にとって親戚のような存在にも思える。

ニュージーランドは「アウトドア大国」とも呼ばれ、北島から南島まで自転車ロードを通そうという動きがあるくらい、自転車乗りに対して寛容だ。ここの人たちにとっては自転車にお金をかけるのは当たり前で、しっかりメンテナンスをして大事に乗ろうという意識が強いらしい。そのため、出会う人々の僕に対する視線はみな温かかった。

居心地の良さを感じつつ、ニュージーランド各地を巡ること2ヵ月ほど。地球一周の旅が始まって初めての年越しが近づくにつれて、年末年始は何か特別なことをしたいと思うようになっていた。

でも、行く場所もやることも決まらないまま、辿り着いたのは南島南部の町ダニーデン。大晦日の夕方、図書館の脇に隠れてキャンプをしようかと時間潰しをしていた。

「こんなところで何してるの？」

地元の人に声をかけられたと思ったら日本人の方たちで、龍彦さんと愛子さんというご夫婦だった。

「大晦日に行くところがないなんて、そりゃー行く年来る年ができんぞ。よっしゃ、うちにおいで！」

ここに拾う神あり！

「ほー世界を回っているのかい？　一本となりの道にギネスに登録されている坂があるから見てみるか？」

そう言われると僕のチャレンジ精神が黙っていない。偶然の出会いをきっかけに、世界一の急坂に挑戦することを決めたのだった。

ダニーデンの坂の平均勾配は20％、最大勾配にいたっては37％。そして全長約

350mの距離で、約70mの高低差がある。

坂自体はまっすぐの一本道なのだが、道幅の狭さがネックだった。少しでも勢いをつけるためには蛇行しながら走りたいけれど、この道幅では車体を傾けると地面にバッグが当たってしまう。さらに、立ちこぎをして後ろに重心をかけすぎるとひっくり返ってしまう。つまり、脚への負荷が高い姿勢のまま、ほぼまっすぐに登り切らないといけない。

自転車乗りならきっとわかってもらえるであろう過酷な登坂だ。でも、引き下がるわけにはいかない。

新年を迎えた1月2日、チャレンジがスタートした。登り始めると運悪く向かい風！　中腹に差し掛かる頃にはすでに、酸欠で意識が飛びそうになる。

チャレンジの最中に思い出したのが、故郷・長野の日本三大奇祭「御柱祭(おんばしら)」の木落し坂だ。どこからか祭り定番のラッパの音と〝木遣(きや)り唄〟が聞こえてくるような気がした……。

「パッチン！　パッチン！」

「Hey boy！　Come on !!!」

御柱の木遣り⁉　いや違う、手拍子だ。
この挑戦をどこからか聞きつけて、地元の人たちが応援しにきてくれたらしい。このリズムに乗って、なんとか意識を保つことができた。少しずつ、少しずつ……後半は、坂との我慢比べ。余計なことは考えず、ただただペダルを漕ぐことに集中した。開始から4分……。

「世界一を獲ったぞーーーー！」


頂上に着いた時には思わずガッツポーズしながらそう叫んでいた。

この時に着ていたTシャツは、日本一周旅が縁で知り合った自転車仲間のナオくんにもらったもの。背中には「夢はでっかく 想いは近く」と書かれていて、自転車地球一周旅で何かにチャレンジする時には、このTシャツを着ようと決めていた。

サイクリストにとってはオーストラリアだったらウルル、ニュージーランドだったらダニーデンが聖地のような場所だ。２０１０年、新年事始め。まずは世界の壁を一つ越えてやった。

余談だが、この坂は降りるのも一苦労。急なのでスピードが出すぎてしまって危険なため、自転車に乗って降りることができないのだ。僕は自転車につけた荷物も多かったので、荷物と自転車を何回かに分けて降ろした結果、4往復もしなければならなかった……。

「ごはん食べた?」は幸せを運ぶ最高の挨拶

［2010年3月／インドネシア］

約半年かけてニュージーランドを一周した後、オセアニア大陸に別れを告げ、次なる大陸・アジアへ。そのスタート地点は、インドネシアだ。2010年3月、ニュージーランドから飛行機に乗ってバリ島へ移動。インドネシアの滞在許可日数、いわゆるビザは30日まで。バリ島からジャワ島のジャカルタまで、約1800㎞を27日間で走る予定だ。

空港を出るやいなや、東南アジア特有のサウナにいるような熱気と、スパイスの効いた匂いが一気に僕を包む。その瞬間、学生時代にバックパックで旅した時のチベットの記憶が蘇ってきた。

1日150㎞ぐらいずつ走る日々が続いたある日。街を走っていると、荷物を積んだ自転車で走っている僕が珍しかったのか、現地のメディアに「取材をしたい」と話しかけられた。その地元のTV局に、一週間も密着取材をしてもらった。画面を通して見た、街中を走る自分の姿は、思ったよりもカッコよかった。

そこからは、ちょっとした有名人気分。街を走っていると、バイクで追っかけてきた人が「見たよ！　これ食べな！」と言って食べ物をくれることもあった。TVのほかにも新聞、ラジオにも出演。その時はスタジオに泊まらせてもらったり、ごはんをごちそうしてもらったりもした。

その取材の一つで、僕はフェンディという青年と出会った。彼は新聞社のカメラマンをしていた。インドネシア人の平均給料より高い収入はあるが、それでも彼にとって日本は〝遠い国〟だという。飛行機でたった7時間だが、その飛行機に乗るためには、彼らは一生懸命、何年も働かなければならない。

「君の夢は地球一周自転車旅なんだね。すごいねー！　僕の夢は日本に行くことなんだ。原宿は時代の最先端ですごい場所なんだろうな。ねーどうやったら日本に行けるの？」

……しばらく黙り込んでしまった。なんて答えていいのかわからない。彼らにとって、海外旅行は夢のような話だということはわかっていた。それはかつての日本がそうだったように。目の前にその現実が突きつけられると、胸が苦しくなった。

「ここは僕らの国さ、君がお金を払う理由は一切ないよ！　インドネシアを思いっきり楽しんでいってくれたら、それで僕らは幸せさ！」

夢のためにお金を貯めなきゃいけないはずなのに、フェンディはいろいろな場所へ連れていってくれて、珍しいものをいっぱい食べさせてくれた。その時に食べた、糯米（もちごめ）をバナナの葉で巻いて蒸した「ロントン」の味が忘れられない。それは僕のナンバーワン・インドネシアンフードとなった。

ちなみにインドネシアの主食は米で、「ハンドチョップスティック」と呼ばれる手で食べる文化がある。それは徹底されていて、ケンタッキーのフライドチキンにさえ米がついてくるのには驚いた。米を食べないことには、食事が終わった気がしないらしい。

また、彼らの汁気の多い食生活には、乾燥米を混ぜて食べるのがちょうどいいのだろう。日本のやわらかい米だったらドロドロになってしまうし、素手では熱すぎる。手を汚すばかりでうまく食べられないので、これはこれで理にかなっている。米を練っていると糖分が出て、さらに手汗の塩分と混じると甘みが増す気がしておいしかった。

インドネシアの旅で、現地の人に出会う度に言われた言葉が「スダマカン」。意味は「ごはん食べた？」で、そこには「ごはん食べて元気出せよ！」というニュアンスも含まれているという。彼らにとっての幸せはお腹いっぱいになることなんだと思うと、心が温かくなった。

実際、旅の途中、さまざまな場所でごはんをごちそうになった。それだけではなく、家に泊めてくれたり、人を紹介してくれたり、自転車修理や、さらに名刺まで作ってくれたりもした。

インドネシアは戒律がそれほど厳しくない〝ソフトイスラム〟と呼ばれる国だが、イスラム教のコーランの中には「旅人に優しくしなさい」という教えがあるらしく、それもあって僕のような旅人にもとても寛容だったのかもしれない。また、インドネシア語の「キラキラ」は「だいたい」という意味で、インドネシアの人となりを表していると言われる。

「だいたい」という、ゆるい時間の流れで余裕が生まれているのか、彼らの笑顔はキラキラしている。彼らが他人に優しくしてあげられるのは、この〝ゆるさ〟のおかげなのかもしれない。

行く先々で心とお腹を満たされながら、予定の27日より少し早く、ジャカルタに到着。熱い熱い東南アジアの旅はまだ始まったばかりだ。

交通事故に感染症、弱る心にしみる優しさ

［2010年3月～6月／インドネシア～タイ］

日中にこもった熱が、夕暮れになっても一向に下がらない。ジャカルタでは日が暮れても、気温に大差はない。赤道直下の暑さと、人口約1000万人の流動で、ここでは実際の温度計以上の暑さを感じる。年中変わらない気温のうえに、日の長さも年中そう変わらないこの国は、何をもって季節の変化を感じるのだろうか？

僕はそんなことを考えながら、民衆も追いついていけないような速度で経済発展を続けるこの国の象徴とも言える高層ビルの上から、夕陽に染まる街を見てい

た。本来ならば、この夕陽ははるか高い飛行機の上から見るはずだった。しかし実際の僕はこの時、入院していた病院の屋上にいた。ジャカルタに着いて数日後、僕は自転車で走行中にタクシーと正面衝突してしまったのだ……。

深夜、時速40㎞以上は出ていたタクシーがカーブを曲がってきた。ライトのまぶしい光に照らされた僕。

「あっ!」……どがんっ!

気づいた時には目の前は真っ暗。意識が戻ってくると強烈な痛みを顔に感じた。と同時に、たくさんの人たちに囲まれていることにも気づく。次の瞬間、バリバリに割れた車のフロントガラスが視界に飛び込んできた。自分が事故にあったことを、そこで完全に理解した。

夜だったので病院は閉まっている。しかも、海外旅行保険を適用するための資料として、警察でポリスレポートを手に入れなければいけない。そこで、ひとまず自転車は置きっ放しにして、僕をはねたタクシーの運転手とともに、僕をはねてフロントガラスが割れたタクシーに乗って警察署に向かった。

警察署でいろいろな書類を書いてもらわなければいけないのだが、いちいちチップを求められる。「なんで……?」という憤りの気持ちを抑えつつ、朝方までかかって手続きを済ませた。

最終的に警察官はイスラム教の〝目には目を、歯には歯を〟の本来の意味である「過剰な報復はするな」にならってか、僕をはねたタクシーの運転手と、みんなの前で握手をしろと言ってきた。しかも、タクシーの運転手からは「車の修理代を払ってほしい」と言われる始末。はねられたのはこっちなのに……。「くっそー!」と、思わず握手のために出された相手の手を払いのけてしまった。

翌日に病院で検査を受けると、車とノンストップでぶつかったにもかかわらず、レントゲン写真でもCTスキャンでも大きな異常は見られなかった。しかし、29年近く連れ添ってきた大事な物を失った。

前歯2本。

車と正面衝突したのに、これだけのケガで済んだのは不幸中の幸いと言えるのだろう。しかし鏡の前に映る、歯抜けのマヌケな自分を見るとショックは隠し切れない。歯が抜けているせいで濁音は発音できないし、ごはんはぽろぽろ落ちるし、もう故郷のリンゴも丸かじりできないかも。

でも命があっただけマシだ！

ちなみに、アジアでのトラブルはこれだけで終わらなかった。その後、シンガポール、マレーシアを経て入国したタイで、今度は感染症の腸チフスにかかってしまう。どうやら2週間ぐらい前にチフス菌が体内に入り、体力の低下が原因で発症してしまったようだ。

確かに事故の後、シンガポールから再スタートして22日間、約2800㎞を走り続けてタイのバンコクまで来た。その間、一度も休むことなく1日平均130㎞のペースで爆走し、体重も気がつけば5kgぐらい落ちた。暑さの影響で食欲がない日もあり、食事の量にムラがあった。それらが相まって、ここにきて爆弾が爆発したようだ。

しかし、これまた幸いなことに入院生活は4日間だけで済み、毎日3食の病院食と72時間の点滴で、体重も元に戻った。この病院のスタッフは女性が多く、みんな明るい。少し恥ずかしい思いもしたけど、彼女たちの笑顔のおかげで予想以上に早く回復したのは確かだ。

さらに、うれしいこともあった。急に体調を崩し、自転車を宿に置くヒマもなく病院に運ばれたので、自転車は道に置きっぱなしの状態だった。入院中も自転車のことが気になっていたのだが、2日ぶりに再会した自転車は何も盗まれていなく、それどころか自転車に何かが挟まっている。それは日本語のメッセージ付きの名刺だった。

「何かあれば電話ください。24時間OKです！　応援してます」

見知らぬ方が同じ日本人というだけで応援のメッセージを残してくれていたのだ。精神的に弱っていた僕には、本気で涙が出るくらいうれしかった。すぐさまお礼の電話をすると、その人は邦人企業の駐在員として働いている勝山（かつやま）さんという方だった。3時間後、勝山さんと奥さんのヌンさんがたくさんの日本食を持ってお見舞いに来てくれた。

「日本のどら焼きだ〜」

大好きなどら焼きを15ヵ月ぶりに食べると、涙が止まらなかった。

退院後もしばらく、勝山さんの自宅で過ごさせてもらった。おかげで、すっかり気力、体力も回復。腸チフスで入院してオーバーステイした不法滞在のトラブルも、ヌンさんが関係各所を駆けずり回って片付けてくれた。次なる旅への準備は万全になった。

旅立ちの日、ヌンさんがもうじき30歳の誕生日を迎える僕のために、ボロボロになっていたステッカーとレインカバーを修理してプレゼントしてくれた。修理のために必要なものを、必死になってバンコク市内のお店を回って探してくれたらしい。

僕は本当に幸せすぎる男。何かトラブルがあれば、必ず奇跡的な手助けがある。高層ビルの屋上から突き落とされても、地面に激突する瞬間にバンジージャンプの紐が、反動で僕を引き戻してくれる。それぐらい上から下へ、下からさらに上へ。この恩はいったいいつ返せるのやら。

いまは自分の目指すゴールに向かって走り、いち早く夢を成し遂げたことを報告することが恩返しだと思って、ただひたすら前に進むのみだ。

爆発した僕の怒りを鎮めてくれた人の温もり

［2010年6月／カンボジア］

勝山さんたちに別れを告げ、バンコクを発ってから2日、タイとの国境・アランヤプラテートに到着。この国境は8年前にも通っている。その時の旅はバックパッカーとしてだった。ここでは毎日、タイ人とカンボジア人が行き交って大きなマーケットを開いていて、その物々しい雰囲気に圧倒されたのを覚えている。そして国境で騙（だま）されて金をふんだくられたのはもっと鮮烈に覚えている。

カンボジアの暑さは容赦ない。それは、いままでの東南アジアの国々も変わりないのだが、ここではなぜかペダルが回らなかった。なぜだろう……？　その時、急に走るのがつらくなった。同時に嫌な寒気を感じた。この感覚の記憶はまだ新しい。バンコクで腸チフスにかかって入院した時と同じだ。まだ完治していなかったか……。寒気を通り越して、徐々に末端神経がしびれを起こし始める。

しばらくそんな体調不良が続いたある日の夜。眠りにつこうとしたまさにその瞬間、テントの外から光が突き刺された。

すぐに目を覚ました僕の耳に飛び込んできたのは、男性が叫ぶ大きな声だった。言葉は理解できないが、体調の悪さを理由に、僕は無視をすることにした。その男性はあきらめたのか、その場から去っていったが、しばらくして再び誰かを連れて戻ってきた。どうやら英語の話せる通訳を連れてきたようだ。

熱でうなされた頭を思いっきり振る。スリーピングマットは汗でびっしょり。テントの中で狸寝入りして我慢するのも限界だ。相手を威嚇してやるためにパンツ一丁で外に出てやった。しかし、一瞬もひるむことなく彼らは言った。

「ここは危険だ。テントを張ることはできない」

その時の僕は、下痢と熱による体調の悪さと33℃という気温の中で追い詰められていた。次の瞬間、積もりに積もったものが怒りとなって爆発し、僕は知る限りの罵詈雑言を彼らに日本語で浴びせかけていた。

普段は警察やお寺、民家などに了解を取って、指定された場所でテントを張る。しかしこの時はどこからも許しを得ることができず、いたずらに時間は過ぎるばかりで、結局は無断で学校の校舎の片隅にテントを張ったのだった。

「ほんの5時間だけ、仮眠させてくれ……」

だが、その願いは10分とかなわず、どこからか情報を仕入れたらしい警察がやってきたのだ。単なる旅人相手にここまで固執する彼らに腹が立ってしょうがなかった。テントをしまっている間もわめき散らす。気づけば警官は5人にまで増えていた。

「わざとテントの片付けを遅らせて、ヤッらを困らせてやる」

30歳間近の大人のすることではない。しかしこの気持ちを何かにぶつけなくては、気が収まらなかった。そんな僕に、暗闇から不意に出される手……握り締められていたのは5ドルだった。その瞬間、頭が真っ白に。彼はこの金でホテルに泊まれと言っているのだ。

「そんなつもりじゃないんだよ……」

自分に失望した。こんなことをしてもらいたくて、わめいていたのではない。彼らの平均月収はおよそ30ドル。彼らにとっての5ドルが大金だってことは、旅をしていれば十分わかる。恥ずかしくて彼の顔を見ることができなかった。僕は身体から一気に熱が下がるのを感じ、同時に気が抜けてへたり込んでしまった。彼は僕に立つようにうながし、ついてくるように言った。

連れて行かれた場所は、彼の家だった。彼は僕を泊めるためにここに案内したのだ。まるで日本の昭和初期のような、大家族が一つ屋根の下、いや一つベッドの上で川の字になる広さの家。家族8人、みんなの温もりに包まれて眠る。それはまるで、子どもの頃に熱を出すと、母親が看病してくれた時のような温かさだった。

次の日、目が覚めると彼は僕にごはんを差し出してくれた。寝てスッキリしたのは、僕の気持ちだけでなく胃袋もだ。しばらくろくに食べられなかった胃が、久々に食事を受けつけ始めた。

それだけでもありがたかったのに、彼は僕が出発する時に、ニコニコしながらお金を渡してきた。それは彼にとって月の給料の半分ぐらいの金額。その様子を見た奥さんが、彼をにらんでいる。しかし彼はそんな奥さんをにらみ返した。

「俺のすることに文句を言うな！」

家族が困惑している。

「これはもらえない……」

渋る僕を見て彼はこう言った。

「お前が来てくれて楽しかった。今日は銀行が休みだし、お金が必要だろ？　それに俺らもしばらくして『あの日本人どうしてるかな？』っていう会話をする楽しみもできた。だからこれは持っていけ」

この言葉を聞いた時、自転車旅を始めるきっかけになった〝１３４号線で出会ったおばあちゃん〟のことを思い出した。

自転車旅だからこういう人に出会えたのだろう。絶体絶命のピンチをこの家族に救われた。旅での一番の感動は絶景などではなく〝人〟なんだと、改めて気づかされた。いつの日かカンボジアで出会ったこの家族を、僕の生まれ故郷に呼ぼう！　僕はそう強く決意した。

8年越しの夢をかなえ、天空都市に降り立つ

［2010年6月〜10月／ベトナム〜中国］

カンボジアでの感謝を胸に、ベトナム、ラオスを越えて、僕の旅は東南アジアから中央アジアへと入った。11ヵ国目の中国、目指すはかつてバックパックで訪れた〝天空の大地〟チベットだ。

陸路で東中国からチベットを目指すには3つのルートがある。しかしそのうちのシャングリラ、成都(せいと)ルートは洪水の影響で閉じてしまった。残すは最も美しいと言われているゴルムドと呼ばれるルート。

香港で長期ビザをゲットしたとはいえ、チベット高原をゆっくり走る余裕があ

るほど中国は狭くない。電車で広東省広州から51時間かけて、青海省西寧に移動。僕の中でのルールで「公共の交通機関を利用する場合は、移動する前の地点の標高を下回ること」「決して近道をしないこと」という2つを満たすこの地を、チベット越えのスタート地点とした。

ラサへ向かって標高を上げ、5231mの峠を越えていく。10日間くらい4800m付近での生活を送ることで、心配していた高山病にはならなかった。しかし、毎日向かい風に遭い、高地でのレーザービームのような直射日光に襲われる。一転、朝晩はマイナス10℃にもなる寒暖差が僕を苦しめた。キャンプをするにも、起伏のない台地では風除けを探すのも一苦労だ。

チベットとの境に位置するタンラ山脈では、北と南で気候も変わる。北は乾燥した大地、南は湿潤な大地。さらに標高4500m以上になると、雨はみぞれになる。ある朝起きるとびっくり！　そこには寝る前にはなかった一面の銀世界が広がっていたこともあった。

朝は4時に起きて食事をして、6時から走り始める。1日5回ぐらい食料を補給して、日が落ちる18時をめどにして、テントを張る場所を探す。天候にかかわらず、そんなペースを守り、とにかく走りまくった。チベット走行はまさに大自然との闘いだった。

高地で乾燥しているから汗もかきづらい。臭いが気になれば、バターに土を混ぜたものを身体に塗って、消臭&乾燥よけにしていた。

食文化も独特だった。たとえば、ツァンパという小麦粉を練り固めたものを食べたり、バター茶といってギトギトのバターそのものを飲んだりする。高地では水も食糧も貴重なため、長期保存させなくてはならないことから生まれた知恵だ。でもこの直接栄養だけを身体に摂り入れるような食文化はきつかった。とはいえ自転車旅だからこそ、観光地化された街にはない素の暮らしを体験できたと思う。

そして道すがら出会う人々の優しさに励まされ、五体投地（ごたいとうち）と呼ばれる礼拝法でラサに向かう僧侶を見て勇気をもらい、チベットの高地で生きるウシ科の動物ヤクたちに癒やされた。

この時に出会った、青の絵の具をこぼしたような空を、僕は生涯忘れることはないだろう。

天空に浮かぶ雲はちぎって食べることができそうなくらい近い位置にあり、夜空に輝く星は、ぜいたくに一つひとつ手にとって、いくらでもゆっくりと星に願いを託せそうだった。

24日間、約2000kmを走り、ようやくチベット高原を越えた僕は、天空都市・ラサに降り立った。バックパックで訪れた8年前のチベットとは、その冒険感も達成感もまったく異なる。

「やってやったぜ、チベット!」

8年前に漠然と抱いた「いつかここに自転車で来られたらな……」という夢。あの時の青年はいまここにいる。思い描いた夢をかなえて!

ケンカの仕方を知らないインド人と日本人

[2010年10月〜12月/ネパール〜インド]

西チベットのエベレストキャンプからネパール国境へ。峠を標高5000mから600mまで一気に下る。次々と変わる地形や動植物に目を奪われながらも、カーブの度に急ブレーキをかけっぱなし。

ジェットコースターのような道のりを超特急で下って、古来より〝桃源郷〟と呼ばれるネパールのカトマンズに到着した。その後すでに８日が経っても、自分でも信じられないぐらい、何をしたという記憶がなかった。ただただ、居心地の良さで時間が過ぎていった。

地理的条件と社会主義国家の重圧という厳しさを持つチベットと、文化と人種のカオスの厳しさを持つインド。その狭間にあるカトマンズは、まさに両国からやってくる旅人の安らぎの場なのだ。

８年前の旅で訪れたのはすべてアジアの国だった。中国、チベット、タイ、カンボジア、ネパール……。変化の激しいアジアでは、再訪すると見覚えのない町になっていて、寂しさを覚えることもある。ただし、インドの持つ混沌さと、一歩間違えればトラブルに巻き込まれそうなドキドキ感は変わることはなかった。

実際、こんなドキドキの体験があった。ある夜、僕は50人のインド人に囲まれてしまったのだ。発端は一人のインド人少年が、僕が置いていた自転車に乱暴にまたがり、いたずらをしていたことだった。普段はそれとなくやり過ごせるのだが、この日はインド初日で気が張っていたのと、１８０㎞を走ってきた疲れもあった。実際はしなかったが、胸ぐらをつかむ勢いで近寄り、巻き舌口調の日本語で注意してしまったのだ。

すると、周りにいた子どもたちがゾロゾロと集まってきた。その少年が内心は不安になっているのが見てわかったが、仲間が周りにいることで強気になっていた。

インド人同士のケンカを何度か見たことはあるが、カースト制の名残りなのか、〝階級〟でかたがつくことが多い。ゆえに、彼らはいまいちケンカの仕方を知らない傾向がある。もちろん、道徳観念をみっちり教え込まれた仏教国生まれの僕も、ケンカの仕方を知らない。

少年は後ずさりこそしなかったが、どうしていいのか自分ではわからず、仲間に目で助けを求めるばかり。時おり笑っては見せるが、それも強がっているのがバレバレだ。

そんな彼を見ながら、僕は冷静にこの場を片付ける方法を考える。拳を食らわして事を済ますやり方など、僕は知らない。ただどうにかして、この少年の鼻っ柱を折ってやりたい。その直後、彼は一言言い放った。

「Hey japanese, This is India !!!」

頭に上り切った血が、ぴゅーっと風船に穴が開いたように出ていった気がした。

「ここはインドだぜ、おまえをどうにでもできるんだ！」

僕にはそれが滑稽に映った。強がっている彼の内心を見抜けているからだ。そんな言葉でびびる僕じゃない。

ここで妙案を思いついた。周りにはすでに50人のちびっ子。僕は大きく手を振り、声を上げてもっと人を集めた。ただでさえ野次馬が大好きなインド人。小さな町だったが、どこからともなくウジャウジャとあっという間に100人を超える人が寄ってきた。予想通り、道は人で埋まり、車は通行不可能。ちょっとした抗議デモ並の騒動になった。

そして、満を持してポリスマン登場。

ワイロ次第の正義の味方といえども、やはりインド人にとってポリスマンは権力の象徴。さー困った顔の子どもたち。蜘蛛の子を散らすように、彼らは散っていった。例の少年は、割って入った大人たちにこっぴどくしかられている。それを見て僕の良心は少し痛んだが、自分なりの解決ができたんだと自分に言い聞かせ、その騒動は幕を閉じた。

昔もいまも変わらず、インドではトラブルが身近にあった。世界を旅していると、避けられないトラブルに遭遇することがある。その時にモメることなく〝穏便に〟事を済ます術を、僕も少しは身につけてきたのかもしれない。

メッセンジャーとしての使命を胸に、再出発

［2010年12月～2011年4月／インド～日本～韓国］

インドを旅していた2010年の12月、僕は一時帰国をすることを決めた。というのも、インドで2度目の交通事故に遭ってしまったのだ。バラナシを出て170㎞の走行を終えたところで、3人組が乗ったオートバイが渋滞を抜けようと白線を越えて、僕に正面衝突してきた。

肩と肘の痛みもさることながら、乗っていたGIANTのアルミフレームにヒビが入ってしまったことが問題だ。

乗れないことはないけれど……これはきっと何年かしたらきっとダメになる。この先5年以上は旅をすることに決めていたので、身体と自転車のメンテナンスを考え、渋々だが帰国を決意した。

再出発は翌年の４月を予定していたが、その１ヵ月前となる３月11日、東日本大震災が起こった。

僕が生きてきた中で、実際に体験する最大の災害。長野は北部の栄村が震度６強の被害に遭い、線路が崩落して村が孤立化した。直接的な被災地ではなかったが、余震は続き、買占めによる食料品や生活品の不足、計画停電による交通機関の麻痺……と、人々のストレスがいまにも弾けそうだった。ただそれも被災地の人々が抱えているストレスの１００分の１にも満たないだろう。そして海外にいたらきっと、この１０００分の１も感じられなかったはずだ。

前方支援や後方支援、支援の仕方はいろいろある。僕はすぐにでもボランティアに参加しようと思った。

そんな時に、ＴＶのニュースで韓国がインスタントラーメンを被災地に送ってくれていることを知った。韓国との間には歴史の問題が横たわっているけれど、それを超えた助け合いの精神に、僕は胸を打たれた。

それを見て、僕は僕だからこそできる支援をしようと思った。まずは韓国に感謝の言葉を伝えに行こう。そして海外を自転車で旅しながら、語り手として、少しでも多くの人に日本が体験したことを伝えよう。カッコよく言うと〝メッセンジャー〟、それが自分にできることだ。

4月18日、博多から船で韓国の釜山（プサン）に渡り、止まっていた自転車地球一周旅が再び動き出した。

空から無数の星が降り注いできた聖地の夜

［2011年4月～7月／韓国～タジキスタン］

韓国に上陸して7日目、釜山から550km走って首都ソウルに到着した。4カ月ぶりの自転車旅、日本で新たに組んだ鉄製バイクのSURLY、愛称「小秋（こあき）」号も絶好調だ。

韓国・仁川（インチョン）から船で中国の天津へ。そこからさらに西安に向かい、ここからシルクロードに沿ってひたすらヨーロッパを目指す。

最初の目標はカザフスタン。途中3800mの山を3つ越え、砂漠とも荒野ともつかない場所を走ること数週間、ようやく新疆（しんきょう）ウイグル自治区の区都ウルムチに到着した。そこでカザフスタンのビザ申請のため一週間弱滞在した後に国境を越え、中央アジアの旅が始まった。

旧ソビエト連邦のカザフスタン、キルギス、タジキスタン、ウズベキスタン、トルクメニスタンの5ヵ国はビザの取得が難しく、ツーリスト泣かせで有名だ。さらにビザがあっても、移民警察局まで出向いて外国人登録をしなきゃいけない制度がある国まである。そんな中央アジアの国で、一度出されたビザを訂正してもらうのは不可能に近く、それなのにこちらの指定した通りになっていないことも多い。

タジキスタンでは、大使館の場所をインターネットで検索しても、出てくるのはバスでの行き方のみ。つまりバックパッカー用であってサイクリスト用ではない。これはバスで行けということなのだろうか?

僕は街を知るためにも自転車にこだわりたい。宿で得た情報を頼りに、走ること3時間、走行距離40㎞。なんとか大使館に到着し、ビザをゲットした。

タジキスタンには、サイクリストの三大聖地の一つ、パミール高原がある。三大聖地はほかに、ボリビアのウユニ塩湖にある〝宝石の道〟、チリにあるアウストラル街道が挙げられることが多い。

「パミール高原に行きたい――」

ただ、聖地・パミール高原に行くにはそれなりの苦労もある。標高900～4655mまでのアップダウンを繰り返す峠を11個も越えなければならないのだ。

キルギスの首都ビシュケクから10日間、900㎞を走ってタジキスタンとの国境付近にあるサリタシュという町に到着した。時刻は19時。明日、国境が開くのを待つのは嫌だ。今日、タジキスタンに入国してしまおう。出国スタンプを押してもらってから、僕は自分の選択ミスに気づいた。タジキスタンの国境まで約10㎞ある。ここはつまり「緩衝地帯」、どちらの国の管轄でもないのだ。こんなところでトラブルに遭っても、日本政府は助けに来られない！

この10㎞の間には標高差800m、4300mの峠があるため、いまから向かってもきっと間に合わず、国境は閉じてしまう。国境の軍隊にスタンプの取り消しを頼み込んだが、あっさり拒否された。せめてキャンプだけでも……。その交渉もむなしく、追い払われてしまった。

仕方なくタジキスタン国境へ向かうこと2㎞、一軒の民家があった。泣きべそで拝み倒した末、テントを張らせてもらうことに成功した。

しかし、いったいこの人たちの国籍はどこになるのだろうか……？

翌日、国境を越え、いざパミール高原へ。近づくにつれて雨も降れば、雷が鳴り、雪も降る。渓谷沿いなので、常に向かい風にさらされ、気温もマイナス10℃から35℃までと、とてつもない寒暖差があった。

岩や倒木、土砂崩れに道を阻まれ、時には砂漠のような場所が突如として広がる。砂利の上は滑りやすく、何度も転んで切り傷が増え、急傾斜の坂をオートバイのような重さになった自転車を押すのは重労働だった。膝や腰に負担がかかるし、ハンドルを支える指先は力がこもって爪が肉に食い込み、血が噴きだした。

「これがパミールか……」

明らかにこれまでで一番の難関ルートだ。

そんな道中、ふと気づいたことがある。

「ガソリンって臭い」

一日に車が3台くらいしか通らない奥地。そこで車の存在を気づかせてくれるのは、音ではなく、臭いだった。あまりにも澄んだパミールの空気は、ガソリンの臭いを悪臭と激しく認識させる。1㎞以上も離れた場所からでも臭いがわかる……こんな体験は初めてだった。

さらに印象的な出来事が夜に訪れた。夜中、用を足すためテントの外に出ようとファスナーを開けた僕は、そのまま動けず、再びファスナーを閉めた。星が襲ってくるように〝降っていた〟からだ。

それは流星で、まるでロケットがバンバン降ってくるようだった。僕の地元・長野の流れ星もキレイだけれど、それとは迫力がまったく違う。人が大自然に直面した時は、感動よりも恐怖を抱く。実はもう僕は死んでしまっていて、黄泉(よみ)の国に来ているのかとさえ思った。

こんな感覚はチベットでも味わえなかった。まだまだ世界は広くて面白い！ 残る2つの聖地への期待もふくらませながら、過酷なパミール高原を越えて行った。

命を懸けた、国境越えタイムトライアル！

［2011年7月～8月／ウズベキスタン～トルクメニスタン］

タジキスタンの首都ドゥシャンベより4日、標高3300mオーバーの峠を2

つ越えて、20ヵ国目となるウズベキスタンの首都タシケントに到着。そこからさらに南西へ進んだサマルカンドに、世界一ホスピタリティにあふれていると言われ、東西のサイクリストが集う宿「バハディール」がある。ここでゲットした情報をもとにトルクメニスタンビザを申請したが、なんと20日間待ち。しかも「トランジットビザ5日間」で申請したはずが、手元に届いたのは3日間のビザだった。

どう考えても大使館側のミス。それでもどうすることもできなかった。

470㎞を3日間で走ることになってしまったのだが、この時期のトルクメニスタンの気温は45〜50℃くらいにもなる。ルート中、250㎞にわたって砂漠が続き、食料と水が手に入らない無補給地帯がある。

「あー、神様も本当に粋な計らいをするなー！」

神様からの〝プチアドベンチャー〟のプレゼントに、無理やりテンションを上げるしかなかった。

2011年8月13日から15日。僕は生涯この3日間を忘れないだろう。トルクメニスタンとイランとの時差は1時間あり、かつ国境閉鎖時間は16時とトルクメニスタン側が早い。実質2日半。とにかく時間がない。

一番に並ぶために朝4時には国境に待機したが、本来の時間を40分もオーバーして、8時40分に国境が開いた。朝食に頼んだものが、ようやく昼に出て来るような〝インド時間〟に慣れた僕でも、この時ばかりは日本に戻ったようにイライラした。

実はウズベキスタンに入国する際もトラブルがあった。入国時に申告する書類はロシア語で表記されていたため、手数料という名の賄賂を払って担当官に代理で書いてもらったのだが、その時に担当官が僕の所持金を多く記入していた。その結果、違法所持を疑われて500ドルを請求された。どうやら僕は、約700km離れた国境警察官同士の連携した罠に引っかかってしまったらしい。

荷物をあさられるが、そう簡単に見つけられるような場所に僕がお金を隠すわけはない。お金は自転車のサドルの下にある筒の中と、ハンドルの筒の中に隠してある。自転車乗りなら誰もが使う隠し場所だ。

お金が見つからず、苛立った担当官が次に取った行動は、身体検査。なんと他の国境越えをする人々もいる前で、素っ裸になれというのだ。

「頭に来た！　こっちは1秒も無駄にはできない！　おとこ三十路も過ぎれば、人前で裸になることぐらいどーってことない！」

さすがに外国人が、国境で真っ裸になっている姿にやりすぎと感じた上官が出てきて、事なきを得た。〝ぼったくり〟に失敗し、僕の申請書類を悔しそうに破く担当官の姿がいまでも忘れられない。

時刻は11時。気を取り直してようやくスタート。しかし、人の次は自然が僕の足止めをする。

突風とまではいかないが、十分気になるほどの向かい風。そしてトルクメニスタンは産油国であるせいか、どこまで行っても石油臭い。この臭いはマスクをしていても容赦なく鼻に浴びせられる。始終何かに酔っている感じ。かくして僕の〝タイムトライアル〟は壮絶なものになった。

熱風が身体にまとわりつき、常に倦怠感がする。50℃まで測れる温度計のメーターは振り切れていた。試合中のボクサーが意識がないのに試合を続けたなんて聞いたことがあるが、この時の僕はまさにそれだった。

いつ倒れてもおかしくない状況。その度に助けてくれたのは、トルクメニスタンの人々だった。どこに行っても水や食料、特にスイカとメロンを食べさせてくれた。売店で水や食料を購入すればタダにしてくれたり、お土産をつけてくれたりもした。

そのおかげで、２００km近くの無補給地帯も、重さ10kg増しの荷物のみで乗り切れた。

正直この３日間の走行は、風景が変わり映えしなかったこともあると思うけれど、暑さで朦朧（もうろう）としていた脳に記憶として鮮明には残っていない。ただし、人々の優しさは色濃く残っている。

13日は12時から23時、14日は２時から23時、15日は１時から12時までひたすら走り続け、約５００km、48時間のタイムトライアルは終了した。

やればできる！　不可能はない。また一つ壁を越えてやった！

ラマダンに強盗、アジア終盤もトラブル続き

［２０１１年８月〜10月／イラン〜トルコ］

いろいろな意味で過酷だった中央アジアを抜け、中東・イランに到着。２年以

上かかったアジア越えのゴールが少しずつ見えてきた。

イスラム圏であるイランはこの時、ラマダン（断食）の真っ最中。テヘランまでの砂漠ルートで、集落全体がラマダンをしていると水と食料が手に入らず、予期せぬ無補給地帯が１３０㎞も続いた。でも、トルクメニスタンでのタイムトライアルが僕を強くしたのか、テヘランまでの約１６００㎞を９日で走り切ることができた。

そんなイランではこんなことがあった。ある時、自転車で走行中に声をかけられて立ち止まった。彼のすすめで２切れのメロンをいただくことに。ところが、食後に彼が指先をこすり、お金を要求してきた。

「冗談でしょ！」。そう軽くかわすと、なぜか僕の股間を触ってきた。さらに、布団を指差してきたので、何がしたいのかはわかった。

「受ける気は毛頭なし！」。メロンをもらったお礼だけ言ってその場を早々に退散。すると彼がついてきて「グッバイ」と言ってきたので、握手をしてそれに応えようと思った。

ドンパチ！　その瞬間、目の前で火の粉が上がった。

握手をしようとした手はかわされ、顔面にパンチをもらったのだ。運よくサングラスがガードとなったので、目には異常もなく、鼻も折れなかった。しかし破損したサングラスによって出血。目の前がパチパチと目くらましになっている間に、貴重品を持っていかれてしまった……。

あわてて追いかけ、強盗を羽交い締めにするも、貴重品は仲間に渡されてしまったようで見当たらない。ひとまず近くの人に警察を呼んでもらい、その強盗犯を警察に突き出してやった。

彼は手錠をされ、警官に殴られ、留置所に入れられた。警官が何度も「これでいいか?」と目で合図を送ってくる。しまいには「お前も殴れ」的なジェスチャー。もちろん殴る気はない。罪を憎んで人を憎まずなんてキレイごとは言わないけれど、とにかく貴重品が返ってくればいいのだ。しかし、残念ながら貴重品は見つからず、保険請求のために何度目かのポリスレポートを書いてもらった。

翌日、なんと同じ警察署に別の理由で厄介になることに……。

泣きっ面に蜂、今度は交通事故だ。

イランの国道は一方通行が多く、道を間違えてしまうと、日本の高速道路のように、次にUターンができる場所が10km先なんてことがよくある。目の前のタクシーが道を間違えて、高速でバックしてきたところではねられた。しかもひき逃げ。かくして、2日続けて、別の理由でポリスレポートを書いてもらうことに。

思えば、インドネシアでの交通事故やタイでの腸チフスなど、アジアでの旅はトラブル続きだった。それでも歩みは止めなかった。

そして2011年10月、僕はアジアとヨーロッパの交差点、トルコのイスタンブールに到着。約2年半、ついにオセアニア・アジア大陸を制覇したのだ。沢木(さわき)耕太郎(こうたろう)さんや猿岩石(さるがんせき)さんなど、多くの旅人がこのボスポラス海峡を越えてアジアからヨーロッパへと渡った。残念ながら、そこに橋はあっても自転車の道はなかった。不本意ではあるが、自転車ではなくフェリーに乗って、次なる大陸、ヨーロッパへ足を踏み入れる。

Column❷

トラブル続きの旅を支えた相棒たち

8年半に及ぶ僕の旅は、トラブルの連続だった。それは僕だけではなく、自転車も同じ。旅を通じて、パンクした回数は110回、タイヤの交換は20本、チェーンの交換は28本。その回数だけを見ても、過酷な旅だったことを実感する。

同時に、ともに走ってくれた"相棒"たちには心から感謝している。

最初の3年をともに過ごしたのは、GIANTというメーカーのマウンテンバイク「GREAT JOURNEY」。日本一周で乗っていた"小春"と名付けた1台と、地球一周用に組んだ"小夏"の2台。ただし、インドネシアでのタクシーとの衝突事故と、インドでのオートバイとの衝突事故でフレームにヒビが入ってしまった。

日本に一時帰国して、福岡の自転車ショップ「正屋」で組んでもらったのが3代目の相棒、SURLYというメーカーの「LONG HAUL TRUCKER」(写真)という1台。前の相棒に続く形で"小秋"と名付けた。

チェーンステイが長く、大量の荷物を安定して積めるツーリングバイク。鉄のフレームがしなるため悪路でも快適な乗り心地。世界中どこでも溶接で修理できるのも旅向きだった。旅の途中でSURLYからアンバサダーに任命され、帰国後は雪上も走れるファットバイクを提供してもらった。自転車が届いた日は、日本&世界一周を始めた3月9日。運命的なこの日に新たな相棒"小冬"を手に入れ、僕の夢はさらに広がった。

第3章 ヨーロッパ・アフリカ編

極寒の地で知った自分の限界と勇気の距離

[2011年10月〜2012年3月/トルコ〜スロバキア]

トルコではしばらく自転車を置き、バックパッカーとしてゆっくり観光。大陸と大陸の狭間でのしばしの休養で英気を養って、2011年11月、自転車地球一周旅のヨーロッパ編をスタートさせた。

まず訪れたのはギリシャ。以前から行きたい場所がたくさんある国だったが、ユーロ危機の影響もあって情勢があまり良くないため、エーゲ海を眺めるぐらいで先へ進んだ。

ブルガリアで紅葉と温泉を満喫した後、ヨーロッパの東側を1ヵ月ぐらい走った時点でイタリアに到着。東海岸のサンマリノからボローニャ、パルマ、ピアチェンツァ……世界遺産に登録されている名所もあり、町に着く度にそのスケールと歴史に驚かされる。古いものと新しいものが見事に融合しているのがイタリアだ。

ミラノでは世界最高峰のサッカーリーグ「セリエA」を、イタリア最大のスタジアム、サン・シーロで観戦した。しかもインテルに移籍したばかりの長友佑都選手（現ガラタサライSK所属）の活躍を見て、同じ日本人として勇気とパワーをもらえた。

イタリアから次の国を目指すルートは少し迷った。アルプスを越えていきたいが、雪が降ると通ることができない。だが、この年は暖冬のため、この時点で雪は降っていなかった。

「アルプス越えか……かっこいいよね。そう思わないかい、たっくん？」

実はこの決断をしたのは一人ではない。

トルコのイスタンブールの有名な宿「ツリーオブライフ」で出会った、日本人のたっくんとイタリアで再会した。なんと僕の自転車旅に刺激を受けたたっくんは、ミラノで自転車とキャンプ道具一式を購入し、バックパッカーからサイクリストに転身していた。かくしてイタリアからオーストリアまで男2人での自転車旅が始まったのだ。

しかし、結果から言うと、完全なるアルプス越えはできなかった。

標高1250mまでは80㎞くらいずつゆっくりと上がり、「いざここからがアルプス峠越え」というところまできたのだが、そこで冬季の道路閉鎖……。

「たっくん、あれ警察だよね？」

ゲートには警察官がいる。無理やり通ろうとして捕まるわけにはいかなかった。気温は氷点下を越え、吹きすさぶ寒風は身体以上に心を切り裂く。悔しさは消えないが、またここに来る理由が一つできただけでも収穫としよう、そう思った。

峠越え失敗の鬱憤（うっぷん）を晴らすかのように、スイスからリヒテンシュタイン、ドイツ、オーストリアと、一日たった90㎞で4ヵ国を走破。こんな走行ができるのも、国境検査なしに行き来ができる、シェンゲン協定があるヨーロッパならではだろう。

この旅をともにしたたっくんとは無二の戦友となった。前歯が差し歯の僕に、彼が自分の口でやわらかくしてくれたお肉を分け与えてくれるまでの親密度。男女の関係であれば、確実に恋に落ちているパターンだ。

たっくんとはトルコから計90日をいっしょに過ごした。彼の出会った時の〝乙女メン〟のような顔つきは、みるみるたくましく精悍な顔つきになっていった。僕は旅をして3年と10ヵ月、旅人としての成長に行き詰まりを感じていた。そんな時にキラッキラの新人一年生みたいな彼に会い、「旅人としてのピュアさ」を取り戻せた気がする。

お別れの朝、彼は鼻水を垂れ流しながら、次の目的地へと旅立っていった。

彼の流す涙はやっぱりキラッキラだった。

そんなたっくんと別れた後、２０１２年に入ると、ヨーロッパに30年ぶりの大寒波が押し寄せてきた。

「80人が凍死、６００人が避難」

ニュースを見てびびったが、どこかワクワクしてしまったのも事実だ。

オーストリアのウィーンから、60㎞を走ってスロバキアの国境越え。休憩したところで、自分の置かれている環境に気がついた。

気温マイナス18℃。フェイスマスクから出た蒸気がつららとなってぶら下がっている。走っている間にかいた汗が内側から凍り始め、立ち止まっている間にもぐんぐんと体温を奪っていく。

一度濡れた服が乾くことは二度となかった。休憩がまったく休憩にならない。こうなると走り続けるしかない。

「なんでこんなところに来ちゃったんだろう……」

早くも後悔し始めた。

しかし止まりたくなかった。止まって冷静になればなるほど、自分のしていることがいかに無謀なのかわかってしまうから。

疲れもあって、初日はすぐにテントへ飛び込んだ。しかしすぐに目が覚める。時計は21時、まだ2時間しか眠れていない。

びくんっ！　あまりの寒さと水分不足で足がつり、その痛みで目を覚ましてしまうのだ。それは3時間おきに訪れた。

午前4時、眠れないのだが、なかなか寝袋から出られず、起きる決心がつかない。尿意に耐え切れず、意を決して寝袋から出ようとした瞬間、自分の身体の異変に気がついた。

寝ている間に僕から出た蒸気が、シャツや寝袋にそのまま凍りついている。心臓がバクバクと激動している。同時に軽いめまいと吐き気がした。テント内の気温はマイナス25℃まで下がっている。動揺で呼吸が激しくなるのがわかった。

「もう帰ろう……これは勇気ある撤退だ」

そう自分に言い聞かせて外に出る。

「パキッピキッ！」

マイナス30℃、空気が音をたてて凍る。これがダイヤモンドダストか……空気が振動して全神経がビリビリする。凛とした静けさの中、つんざくような深い耳鳴りだけがする。まつげとまぶたの内側のわずかな水分も凍って、視界さえも閉ざされる。息苦しい……。

「想像以上だ……」

明確に死を意識して、恐怖で押し潰されそうになる。

「もう何も考えたくない。楽な方を選ばせて……」

スロバキアを走り始めて、37・56㎞。来た道を引き返す。流す涙も端から凍って流れない。しばらくすると悔しさがこみ上げてきた。

「ここが僕の限界なのか？」

自分に問いかけた。

「もうちょっとだけ……がんばってみようかな。たっくんに合わす顔がないし……」

死ななければ前にも後ろにも進める。

それはほんのちょっとの距離でも。

ちょっとずつ、ちょっとずつ……僕は再び、極寒の大地を前に進み始めたのだった。

すべてが凍る場所で世界一つらいパンク修理

［2012年3月／ハンガリー～ウクライナ］

スロバキアを越え、ハンガリーに入ると、最高気温でもマイナス10℃となった。どんなに寒くても、走行中は靴の中で蒸気が発生している。それが凍りついて、常に冷凍庫に足を突っ込んでいるような感覚だった。

マイナス7℃の状態で3時間いると、人は凍傷になるらしい。心臓から遠い部分である、手先や足先の末端神経が一番先にやられる。凍傷の合図は肌が赤になることから始まり、それが紫、さらに進行すると黒になる。そうなったら切断だ。

僕はドクターストップとなる合図を見逃さないように注意を払った。

「ダメだ……足の感覚がなくてうまく立てない」

自転車から降りる度に大転倒をした。時にはペダルと靴が凍ってくっついているため、そのまま膝を打ち付けることもあった。路面に薄く氷の層ができて黒く見える〝ブラックアイスバーン〟の上では、マリオネットが踊るかのように何度もスリップした。

自転車のブレーキもチェーンもスプロケットもディレイラーも凍りついた。摩擦で溶かすか、凍りついたら叩いて削るしかなかった。

テントを張る場所も全力で良い場所を探さなければならない。屋根があるだけで、気温が3℃は違う。

「これで今夜もなんとか生き延びられるぞ……」

ガソリンスタンドのトイレの中。僕はここを「五つ星ホテル」と呼んだ。なぜなら、風がさえぎられて、外より気温が5℃は高いのだから。

それでも気温はマイナス20℃。水は必ず魔法瓶に入れ、食糧はタオルで巻いてビニール袋に入れ、寝袋の中で抱いて寝るようにした。

靴下も手袋も三重、服もあるだけすべて着て、帽子やフェイスマスクで頭部を覆う。インナーシーツ、寝袋、さらに寝袋カバーで覆って三重構造。底冷えは足がつる原因になるので、エアーマットに銀マットも欠かせない。拾った段ボールも役に立った。

現地の人から教えてもらった、さくらんぼの種を30秒くらい火であぶってつくる即席カイロにも助けられた。4時間ぐらい約30℃の熱を保ってくれるので、それを凍傷対策として足元に置いた。野菜やフルーツなどの食料は腐らない代わりにすぐに凍ってしまう。

「あぅ〜、ゔゔゔ〜」

ある時、凍ったバナナをノコギリナイフで切って食べたところ、なんとバナナが舌に貼りついて、危うく〝バナナ死〟するところだった。冬のキャンプでは、凍りついても食べられるドライフルーツやパスタがいい。カチカチになったパンもスープに入れれば食べられる。

寒さをしのぐためにあらゆる手を尽くしたが、ある作業の時はいかんともしがたかった。それがサイクリストにとっての初歩中の初歩である「パンク修理」だ。

修理をする時には、どうしてもグローブを取らなきゃいけない。極寒の中、むき出しの手……。空いた穴を塞ぐパッチもなかなかつかない。自分の手が赤から紫に変色し、凍傷注意アラームの黄色になった頃から、チューブごと履き替えるようにした。テントの中で行うパンク修理が、僕の日課の夜なべ作業となった。

ハンガリーからセルビア、そしてルーマニアと、極寒の中でキャンプを始めて2週間が過ぎたある日の夜……僕はテントの中で泣いた。極限状態でのストレスなのだろうか、なぜだかはわからない。

きっといろいろなものが溜まっていたのだろう。思わず泣いた。

その涙でさえ、頬をつたいながら凍るのがわかった。

「くっそー！！！」

衝動的に手元にあったものをつかんで投げつけていた。それで少しはスッキリして、投げたものを拾おうと手を伸ばした先に、あるものが目が入った。

「2003年8月12日、腹が痛い。ロシアのグルガン。10月28日、久々キャンプ。頭痛真下」

テントについていたタグに書き殴られていた文字。このテントはサイクリスト仲間のフッキーから借りたものだ。彼がこれを使っていたのは、ロシアから上海まで走った9年前のこと。思うに、あまりの痛みに悶絶して、無意識に近い状態で書いたのではないだろうか。最後の文字も意味がわからないし。

その状況を想像したら、思わず笑えてきた。

「フッキーもこのテント中で悶絶してたんだね……」

植村直己さんやラインホルト・メスナーさんたちのような偉人も、そしてフッキーも、同じような苦しみを味わったのだ。その事実に背中を押され、僕もきっと乗り越えられる……そう思えた。

この出来事を境に、残りの道のりは気持ちも前向きになった。極寒のルーマニアを抜けて、次なる国モルドバへ。モルドバは丘陵地帯で坂が多く、道もボコボコだが、雪が降っていないのならもう何でもいい。夜通し走ってウクライナとの国境を越え、とうとう冬の東欧走行の最終目的地オデッサに着いた。

長い長い寒さとの戦いはここでひとまず終了。

この道のりで僕は、自分の限界と、苦しい時こそちょっとでも前に進むことの大切さを知ったのだった。

地球一周に欠かせない、イスラエルの入国法

［2012年3月〜4月／トルコ〜イスラエル］

次なるステージに向かうため、船で不凍湖の黒海を越えて再びトルコのイスタンブールへ。厳寒の東欧を走り抜けたアドレナリンは抜けていない。早く走り出したい気持ちだったが、そこからのルートに迷った。

外国人旅行者の滞在期間を規定するシェンゲン協定の影響で、ヨーロッパには5月まで戻れないので、トルコから南下をすることにした。

「中東越え」という言葉の意味は、いまではだいぶ薄れてしまった。トルコからシリア、レバノン、ヨルダン、イスラエル、エジプトと陸路で越える。それは旅人の憧れのルートであり、中東をダイレクトに味わえる〝黄金ルート〟。僕がバックパッカーとして旅をしていた2003年時点では、どのガイドブックにも載っていた。

しかし、内戦の影響でシリアに入れないいま、陸路越えは不可能。仕方なく、アラブ首長国連邦に飛び、そこから陸路でオマーン、空路でヨルダンへ進んだ。

ヨルダンからイスラエルの国境までは、標高900mの谷の上から海抜マイナス約400mの死海の底まで一気に下った。

イスラエルへの入国には注意点がある。

パスポートにイスラエル出入国のスタンプを押されると、敵対するアラブ諸国への入国ができなくなってしまうのだ。でも、出入国スタンプを別紙に押してもらうという〝抜け道〟もある。こうすればパスポート上はイスラエル入国の軌跡は残らない。手間であり、出国税も高くつくのだが、僕のような旅人たちにとっては、必須と言える作業だ。

ただし、この手続きを受けるためには、イスラエルの東側にある国境「キングフセイン橋」を通らなければならない。ここを通れるのは外国人観光客とパレスチナ人だけだ。

イスラエル側の入国管理所に着くと、すでに長蛇の列だった。まずは本人確認、続いて荷物検査。自転車で荷物の多い僕は、荷物検査を心配していたが、予想外に何事もなく突破できた。そして最後の出入国審査。ここで絶対に忘れちゃいけない一言。

「No stamp please !」

しかし、その一言を発する前に別室に移動させられることに。聞いてはいたが、そこでは詰問の連続だった。

「訪問場所は？」「ホテルは予約してあるか？」「イランにはなんで30日もいたのか？」

返答の矛盾が一番まずいと思い、すべて正直に答えた。スタンプを押されて「No way !（まさか！）」状態となり、この先の道が進めなくならないことだけを祈りながら……。

ヨルダンを出国して約5時間。スタンプを別紙に押してもらうことに成功し、僕の長い長い国境での戦いは終わった。

イスラエルに入国したその日は日が暮れてしまい、国境付近でキャンプ。死海が月明かりに照らされ、ぼんやりと見えた。

次の日、海抜マイナス約400mの死海からエルサレムの835mまでの海抜差約1200mを、30㎞にわたって上っていく。4時間もかかったが、ようやくエルサレムに到着だ。

人の多さで気づいたのだが、ちょうどその時はキリスト教にとって最大の祝日、イースター（復活祭）だった。エルサレムは三大宗教の聖地であり、旧市街にはユダヤ教の聖地「嘆きの壁」、キリスト教の聖地「キリストの聖墳墓教会」、イスラム教の聖地「岩のドーム」がある。さらに世界で初めてキリスト教を国家宗教としたアルメニア人地区もあり、一つの城壁の内側に多種多様な宗教観を持つ人々が共存している。そこに宗教行事が入れば、人でごった返すのは当然だ。

イスラエルは、エルサレムの旧市街だけが興味深いのではない。ヨルダン川西岸地区には「アパルトヘイト・ウォール」と呼ばれる分離壁がある。

ドイツのベルリンの壁が東と西に分離したように、この壁はイスラエルとパレスチナを分離した。その壁には人々の行き場のない無数の悲しみが、いまではさまざまなグラフィティアートによって刻まれている。

歩いて見ているだけでも、十分にイスラエルとパレスチナの問題が伝わってくる。この壁の存在を通して、「世界の癌」と呼ばれ続けるイスラエルとパレスチナの問題を一人でも多くの人に知ってもらいたい。いま僕にできることは、これから先の道のりで出会う人々に、少しでもこのことを伝えていくことしかないと思った。

そんな殺伐としたイスラエルでも絶対にあるもの。それは子どもたちの笑顔だ。これがあるから人類はまだバランスを保てている気がする。

この子たちの笑顔を守ることが、僕たち大人の唯一の仕事だとさえ思う。彼らの笑顔がいつまでも続くことを、願わずにはいられなかった。

超絶ハード！　世界で一番過酷な国境越え

［2012年4月〜6月／ヨルダン〜エジプト］

イスラエルからヨルダンへの入国は思いのほか簡単だった。一応「No stamp！」とアピールしてみたが、特に咎(とが)められることもなく、「キングフセイン橋を通ってるんだから、そういうことなんでしょ」という具合で向こうもわかっていた。

海抜835mのエルサレムから海抜マイナス約400mの死海へ下り、さらに1600m峠を上がって、1000mのヨルダン・ペトラ遺跡へ。着いたのはエルサレムを出た次の日の夕方だった。

ペトラ遺跡からしばらくは山なりの道が続いた。12時間150km、夜通し漕ぎ続けた。ヨルダンのアカバに着いたのは深夜0時。ここから夜行船に乗ってエジプトへと向かう。

乗客は地元の人とエジプト人ばかり。この船は遅れることで有名だった。その評判通り、深夜1時発で4時には着くはずが、朝6時発で10時に到着。ヨーロッパからアラビア半島を遠回りしたが、とうとうアフリカ大陸へ入ることができた。

エジプトのダハブからカイロへと向かっていくちょうどその頃「アラブの春」と呼ばれる民主化運動が中東から北アフリカ地域で勃発していた。エジプトもその影響を受けて、政権を転覆しようという動きが起こっていたため、治安が悪かった。

警察も敏感になっていて、何回か「ここは走らせない！　走りたいんなら俺たちが保護する」と言われて、自転車の後ろにパトカーがずーっとついてくることがあった。

場所によっては自転車は完全NGというところもあり、自転車も人もパトカーに乗せられて、20～30㎞先まで移動した。フラストレーションを溜めながらだが、無事にスーダンへの国境・アスワンまで辿り着いた。

エジプトからスーダンへは道路が通っていないため、フェリーに乗らなければならない。ただしフェリーは毎週月曜日に1本のみで、チケット売り場は大勢の地元民であふれかえっていた。僕は木曜日から毎日通ったが売ってもらえず、月曜日のキャンセル待ちに望みをかけた。朝7時から17時まで僕の戦いは続いたが、それもむなしく敗戦に終わった。

数少ないキャンセルシートを文字通りに奪い合い、怒号と悲鳴が飛び交う。女性に優しいはずのイスラム教徒はここにはいない……女性のスカーフを引っ張ったり、罵声を浴びせたりする人もいた。後日の再販売では、棒や椅子で殴り合って流血騒ぎまで起こる始末だった。

ここで僕は、アキラとカスミという2人の男女の日本人と会った。アキラとはエジプトのダハブで初めて会い、カイロとここで3度目。医大生で、アフリカ大陸を一年かけて一周するらしい。カスミとは今回初めて会った。カスミも僕と同じ自転車乗りで、エジプトに入った頃から噂は度々聞いていた。

彼らはスーダン行きのチケットを持っていたが、僕はまだそれを入手できていなかった。彼らの出発の日、僕はその日もキャンセル待ちに望みを託してチケット売り場に並んでいた。するとアキラとカスミはそんな僕を見かねて、乗船ギリギリまで付き添ってくれた。アキラはお得意のギターで僕らの気分を盛り上げ、カスミは僕の妹のフリまでしてチケット購入に協力してくれた。

乗船時間の17時前。結局、望みはかなわず、チケットは手に入らなかった。最後の握手とハグをしてお別れをした。

「またアフリカのどこかで会えるさ！」

そうカッコつけてみたが、内心は一人取り残される気分で沈んでいた。

しかし、彼らがゲートの門番に止められている！

「やっぱ、良平さんを置いて行こうとした自分らに罰が当たったんっすよ。あはは、しゃーないっすね」

なんと乗船時間に間に合わなかったのだ。今後の旅の時間に限りのある2人の予定は大きく狂ってしまったので、落胆してもいいはず。でもそんな顔を、彼らは見せなかった。

こんな時、なんて言えばいい。「ごめん」や「ありがとう」じゃまったく足りない。「旅は道連れ」なんて言うけれど、旅人として他の旅人を巻き込むのはタブーだ。僕は申し訳なさを感じながらも、もう少しだけ彼らといっしょにいられることに幸せを感じた。そして、アキラとカスミと夕日を眺めながら、フェリー乗り場を後にした。

結局さらにもう一週間待って、ようやく全員がチケットを取ることができた。どうやらこの大混雑は、アラブの春の影響で、エジプトから逃げ出そうとした人たちの騒動に巻き込まれたようだった。

ようやく出国手続きができる。アキラとカスミ、さらに自転車乗り2人とバックパッカー3人が加わり、計8人の旅人で助け合いながら、厳しい荷物検査をくぐり抜け、船での安全な場所を確保して乗船。蛇行するナイル川を17時間かけて、安全にスーダンの地に入ることができた。

噂では半年もすれば、陸路国境ができるらしい。この陸路ができれば、スーダンへの入国方法とその難しさは俄然変わってくるだろう。ただその時点では、僕が旅してきた4年54ヵ国の中でも、群を抜いて一番大変な国境越えだった。そしてそこで受けたアキラとカスミの優しさを、決して忘れることはない。

世界一キツいソウルフードにまみれた2ヵ月

［2012年6月〜8月／スーダン〜エチオピア］

スーダンの砂漠は女性のような流線美をしているのに、男性のような厳しさを持っている。道はわりとフラットで、風は追い風、どこまでも道しかない風景を眺めながら走った。

風景が単色な分、スーダン人のカラフルな服装が際立っていた。彼らの肌の色はアフリカの大地によく溶け込んでいる。エジプトでのフラストレーションもあったので、快調なスーダン走行はより楽しめた。

ナイル川を南下すること900㎞、首都ハルツームに到着。バッグの中にしまったパンから焦げた香ばしい匂いがすると思ったら、気温は53℃に到達していた。夜でも寝苦しい日々を過ごした。

砂嵐にもあった。喉の渇きに苦しめられると、ナイル川の水で喉を潤した。それでも追い風に助けられつつ、なんとか砂漠地帯を走り抜けることができた。

ハルツームを出てからは、今度は向かい風に苦しんだ。標高も徐々に上がり、風景も土気色から青緑に変わっていく。そして標高2223mまで登り切った先に、エチオピアがあった。

6月~8月のエチオピアは大雨期。この時期だと、正午過ぎと深夜に怒号のような音を立てて雨が降り注ぐ。降っている時間は東南アジアのスコールより断然長い。こうなると、走る気がしなくなる。

雨の影響で気温の変化も激しい。日中の日差しはやや強く、体感温度は30℃くらい。だが雨が降って身体が冷えると、15℃くらいの体感温度になるため、それで何度か体調を崩した。

道は舗装されていて走りやすいが、アップダウンが激しい。道中に集落をぼちぼち見かけるが、村や街が不規則に点在しているため、雨をしのぐことを考えるとなかなか思い切って先に進めない。

そんなエチオピアでは、とても印象に残る料理と出会った。どの村に行っても必ずといっていいほどごちそうになった「インジェラ」という伝統料理だ。

「うぅ~くっさ……何が入ってんの⁉」

イネ科のテフと呼ばれる穀物を発酵させて作ったものらしいが、乳製品を腐らせた時のような強い酸味を感じる。正直、これを三食はかなりキツい。めちゃくちゃまずいかといったらそこまでではないが……僕には決しておいしいものではなかった。

たまに肉といっしょに出てきたりもするが、肉もヤギ肉ばっかりで、とにかく臭い。何度か腹を下して熱を出すこともあったが、インジェラで当たったのかヤギ肉で当たったのかよくわからない。

さらに田舎に行けば行くほど、インジェラの酸味はキツくなった。そうなると汚い話だがゲップをすると、このフレーバーしか出てこない。

アフリカでも他の国では食もいろいろなものが流通している。ほとんどの国では隣国の食べ物も食べるが、インジェラだけは他の国では食べないらしい。もしかして、エチオピア人以外のアフリカ人もおいしくないと感じているのかもしれない……。たまにこんな冗談も聞いた。

「エチオピアに入国するには、インジェラを3回食べる通過儀礼があるらしいぞ」

しかしこのインジェラは、鉄分が非常に豊富な〝スーパーフード〟として、アスリートから注目されているみたいだ。

エチオピア人にオリンピックで活躍するマラソン選手が多いのは、標高の高いエチオピアでの高地トレーニングと、このインジェラのおかげらしい。そう言われると、心なしか僕の自転車のスピードも上がっている気がしてきた。

食に関して少々苦戦したが、それでも毎日元気良く走れたのは、スーダンからエチオピアに入ってガラリと変わったものを楽しめたからかもしれない。

主な宗教が戒律の厳しいイスラム教からエチオピア正教になった。アラブ人とアフリカ人の混血で〝アフリカ三大美人〟と言われる女性たちは自由にオシャレを楽しんでいる。風景は砂漠から森林へ。家畜はラクダから牛へ。食文化にビール酵母も加わり、飲み物はチャイからコーヒー三昧だ。

そんな環境の中に住めば当然人も変わるもの。砂漠の民から森の民へ。もの珍しい姿の僕に対して、とびきりの笑顔とともに寄ってくる人々。飽きることなく彼らとのコミュニケーションを楽しんでいた。

危険なルートの先にあったゴスペルの歌声

［2012年8月〜12月／エチオピア〜ケニア］

6月にスーダンとの国境を発って、エチオピアの首都アディスアベバに着いたのが8月4日。その後、エチオピア北部のダナキル砂漠へのツアーに参加したり、ソマリランドやジブチに軽装備の自転車で寄り道したりしていた。気づけば、1ヵ月半は重装備の自転車にまともに乗っていなかった。

「完全にただの人に戻っている……」

たるみきった身体と心に鞭を打って、非公式国境でアフリカ有数の難関「シノミヤルート」を進むことに決めた。ちなみにこのルートの名称は、僕の尊敬する同期のサイクリストが先に通っていたことから、彼の名前「四宮（しのみや）」から拝借し、勝手にそう呼んでいる。

シノミヤルートは、ケニア・エチオピア・南スーダンが帰属をめぐって揉めている〝イレミ・トライアングル（三角地帯）〟のすぐ隣を通ることになる。そのため、この付近は民族争いが絶えないことで有名だった。多くのサイクリストがエチオピアからケニアに空路で飛んでしまうのだが、僕はあえてアフリカの脅威に挑んでみたかった。

同じ歳の日本人サイクリストが先にやってのけたことも、僕の闘争心に火をつけていたことは言うまでもない。

首都アディスアベバより約500km南下したアルバ・ミンチへ移動。ここから、シノミヤルートを通ってトルカナ湖を目指す。

このあたりからは未舗装の荒れた道が続く。しかし、厳しいのは道のりだけではなかった。

「Give me money !」

「チャイナ!　チャイナ!」

石を投げられたり、ムチや棒、サトウキビ刈り用のナタで脅されたり、しつこく5kmぐらい自転車で追い回されたりすることもあった。さらに坂道を登ってている最中に後ろから近づいてきて、靴下などの洗濯物を盗っていったり、スキを見てフロントバッグから物を盗ろうとしたりする子すらいた。

ひどい日には、一日に3回も盗みにあった。僕は聖人でもなんでもないので、何度もケンカをした。

そんなくたくたな毎日の中でも、友好的なコミュニケーションを取ってくれる人たちはいた。数は少なくても、そんな人たちの優しさに救われる。だから嫌な思いをしてもかろうじて走り続けられるのだろう。

シノミヤルートは、砂の道の連続だった。目的地までの目印がないため、僕は何度も道を見失った。その度に現地の人たちに道を聞いた。彼らの顔を見たら安心した。言葉を必要としない、人間だけのコミュニケーション方法。この笑顔が、僕の旅の原点だと思えた。

「ほら、あそこに白い建物が見えるだろ。あれが国境だ」

僕の目には黄色い砂の大地しか見えない。

アフリカ人の目は本当に良いようで、一時間くらい進んだ先に、確かに建物があった。

アフリカではわざと国境の道を整えていないことがよくある。整えてしまうと、どんどん人が入ってきてしまうし、敵も入ってくる危険性があるからららしい。だから、国境に着いてもまともな道がないなんてことがザラにある。

そんな道なき道であるシノミヤルートを走った。いや走ったというよりは、1 80km、7日間、砂の中をひたすら自転車を押した。

地図にも載っていない道。僕はこのアフリカの大地に、確かに轍を刻んだのだ。

アフリカにはこんな言葉がある。

「アフリカの水を飲んだものは、アフリカに帰る」

ならば僕らサイクリストは、「アフリカの道を走ったものは、アフリカに帰る」だ！　シノミヤルートを走破した達成感はあったが、その一方でこんな想いも浮かんだ。

「誰かのつけた轍は歩きにくい」ということだ。

このルートも四宮くんの足跡をなぞっただけで、レールに乗った旅をしているだけなのではないかとすら思う。

「人の歩幅に合わせるより、自分の歩きたいように歩いた方が、実は楽なんだ」

それはまるで人生と同じだと思えた。

僕はこの見渡す限り砂漠が広がる荒涼とした大地で「黒板のいらない、〝生きる〟授業」を受けた気がした。

人家の明かりのある場所に着き、夕日が地平線に落ちる頃、真っ赤に染まる空を見ながら物思いにふけることが増えた。

7日間もひたすら自転車を押して進んだ難関ルート。ある時、村の教会からゴスペルが聞こえてきた。強盗民族がいると何度も脅された道のりを抜けた安堵感と、ゴスペルの歌声の素晴らしさに、思わず涙があふれてきた。

僕はこの地球一周の旅で、「誰もいない世界」を見たかったのではなく、「誰もいない世界などはこの地上にはなく、そこには同じ地球人の誰かが元気に暮らしている」ことを確認したかったのだ。

僕はその人たちの笑顔が見たかったんだ。シノミヤルートへの挑戦は、僕の旅における、大切なことを気づかせてくれた。

最南端の地が教えてくれた、僕の進むべき道

［2012年12月〜2013年6月／ケニア〜南アフリカ］

シノミヤルートの終着点、ケニア北部のロドワルから首都ナイロビへ。冒険家

の植村直己さんの愛したケニア山で登山をした後、ウガンダの首都カンパラへ。その時点で年の瀬が迫っていた。

自転車地球一周の旅に出てから4回目の年末年始を、どこで過ごそうかと考えていた。思い返すと、2010年はニュージーランドのダニーデンでギネス認定の急坂に挑み、一時帰国した2011年は実家の長野でゆっくり過ごし、2012年はチェコ国境付近で自転車仲間とキャンプをした。

ルワンダ、ブルンジを越えれば、タンザニアに着く。タンザニアといえばコーヒーで有名なキリマンジャロがある。そうだ！　今回はそこでコーヒーを味わいながら年越しをしよう！

そこからは、自転車とバスの移動を併用しながら、ルワンダ、ブルンジを進み、辿り着いたのは、キリマンジャロの麓にあるタンザニアのアルーシャ。初日の出は山と向かい合い、ぜいたくに〝キリマンジャロ・コーヒー〟を味わった。見るだけでなく、実際に標高5895mのキリマンジャロの頂上にも立った。

ここからはマラウイ、モザンビーク、ジンバブエ、ザンビア、ボツワナ、ナミビアを一気に縦断し、アフリカ最南端にある南アフリカの〝喜望峰〟を目指す。

途中、ジンバブエの首都ハラレに着いて、一気に「都市化」を感じた。ジンバブエの全人口は約1300万人、その6人に一人がここハラレに住んでいる。ここに来た旅人がよく言う言葉を僕も実感した。

「アフリカは終わった」

この大陸でケニアより南は、アフリカ一の経済大国・南アフリカに近づくにつれて、どんどん近代化していく。

ここハラレは、たとえるのなら、砂漠の中に突如きらびやかに現れた〝ディズニーランド〟だ。ジャンクフード店やアイスクリーム屋、映画館にゴルフ場、博物館、スタジアム……なんだってある。

さらに進んだナミビアの首都ウィントフックも、僕たちが思い描くアフリカらしさを感じさせない街だった。

かつてここはドイツに領有されていたことがあり、現在はナミビアの商業・工業の中心地だ。ナイロビでは良い自転車製品がなかった。しかしウィントフックではヨーロッパレベルのいいパーツが手に入る。それはそれでありがたいが……。

「やっぱりもうアフリカは終わってしまったんだ」という寂しい思いもする。アフリカらしい自然や混沌さが少し懐かしい。

　ウィントフックからはひたすら南下し、南アフリカのケープタウンへ向かう。ナミビアへ入国するあたりからだが、僕のような旅に出ているサイクリストをたくさん見かけるようになった。

　中には意気投合し、行動をともにする人もいた。アイルランド人のディルマッドとスコットランド人のハナ。めちゃくちゃ感じのいい２人で、３日間、同じペースでいっしょに走った。ウィントフックの宿では、フランス人カップルのロマ&エミリーに会った。彼らも道中で先ほどのディルマッド&ハナと会ったらしい。

　団体のツアーサイクリストたちにも会った。ウィントフックで会ったのはサイクリスト50人とスタッフ20人。カイロからケープタウンまで、12,000㎞を121日で走る弾丸スケジュールを組んでいた。

　国籍も立場も乗っている自転車もみなバラバラ。エジプトで会ったアキラも途中で自転車を買って、ウィントフックから走り出したらしい。

　向かう場所はみんな同じだった。そう、「喜望峰」だ。

「地球一周」とは、明確な定義もなければルールもない、実に抽象的な言葉だ。

だが僕にとっては、喜望峰を目指さなければアフリカは語れないし、ましてや地球一周したとは言えない。

ナミビアのウィントフックから南アフリカのケープタウンまで約1600㎞。弾丸のごとく10日で走り切った。ナミビア側の約900㎞は、無風で比較的フラットな地形だったこともあり、4日で走ることができた。1日平均200㎞オーバー。この時期の日照時間が7時〜19時で、ナイトランも楽しむことになった。

南アフリカの風景は、これまでの南部アフリカとは違った。山脈が走っているせいで、景観がよく変わる。その山のおかげで鉱物資源も採取できるし、ワイン作りにも適しているらしい。走った5月はマンダリン・オレンジの収穫期で、甘く優しい匂いが僕の鼻を喜ばせた。走っているとよく声をかけられ、マンダリンをごちそうになった。

エジプトをスタートして1年2ヵ月。「Cape of Good Hope」の看板が目に入った。ついにアフリカ最南端、喜望峰に到着した。

旅も6年目を迎え、全走行距離は94,000㎞。旅人にとって、この岬の突端以上に旅情を感じる場所はないだろう。

僕がこの地に立った時に沸き上がった感情は、これまでの苦難を思い返し、感慨にふけるというよりも、「ここはまだ通過点の一つでしかない」という、〝勝って兜(かぶと)の緒を締める〟ような心境だった。

喜望峰の突端にある道先案内看板には、世界各地の都市名が矢印とともに記入してあった。その中で僕が訪れていない場所は、「ロンドン」「リオデジャネイロ」、そして「ニューヨーク」。

喜望峰はどうやら僕の進むべき場所を示してくれたようだ。

「喜望峰も〝点〟なだけであって、その点の連続が線になってゴールに続いているだけなんだよね、きっと」

喜望峰の先に道がない代わりにインド洋があり、そこに沈んでいくでっかい夕日を見ながら、ふとそう思った。

凶悪都市に決死の突入! そこで見た真実

［2013年6月〜2014年5月／南アフリカ〜ナミビア］

南アフリカのケープタウンからはバオバブの木で有名なマダガスカルに寄り道

した後、一度ヨーロッパへ戻った。というのも、ヨーロッパの旅では、外国人旅行者の滞在期間を規定するシェンゲン協定の関係で、回れていない国があったからだ。

バルト三国から北欧三ヵ国、そしてデンマーク、オランダ、ベルギー、ルクセンブルクにフランス、イギリス、アイルランドにアンドラ、スペイン、ポルトガル。まだまだ訪れていない国があった。それらを時間をかけてしばらく回りつつ、最終的にスペインからモロッコへ渡り、今度は西アフリカの旅をスタートした。

冬真っ盛りのモロッコは12月。モーリタニア、セネガルと約2700㎞を南下していく。風景も徐々に砂漠になり、サバンナ、熱帯雨林のジャングルへ。地球を縦に移動していくと気候変化がわかりやすい。

酷暑期になると40℃近くまで気温が上がる世界で、毎日マラリアや数々のウイルスと格闘している。東アフリカのジンバブエで一度マラリアにかかり、医者から「あと5日で死ぬ」と宣告され、緊急治療室に搬送された経験があった。アフリカを旅して一年、大病もしなかったせいで、油断していたのだろう。その時は13日間入院することになった。

今回の西アフリカの旅では同じ失敗をしないように、マラリアの予防薬メファキンを飲んでいた。その副作用のせいかもしれないが、寝つきが悪く、悪夢を見る日々が続いている。肉体的、精神的にあらゆる要因でストレスが溜まってきた。アフリカ三大〝凶悪都市〟に数えられる、ナイジェリアの「ラゴス」に近づいているのも理由の一つだろう。ケニアのナイロビ、南アフリカのヨハネスブルグ、どちらもトラブルはあったが、運良く命をとられることはまぬがれた。しかし、今回はどうだろう……いつになく弱気になっていた。ナイジェリアの次はカメルーン、ガボン、コンゴ、アンゴラ……名前からしてオドロオドロしい。98%はびびっているのに、2%ぐらいはワクワクしている変な自分がいる。

西アフリカの旅、それは外務省から退避勧告が出ている国を走り抜ける旅でもあった。テロ組織による外国人誘拐ビジネス、賄賂がモノを言う社会、マラリアやエボラ出血熱の蔓延、そしてインフラの悪さに熱帯ジャングルによる過酷な環境。

7ヵ月間旅をして日本人旅行者には3人しか会わなかった。旅行者にとって西アフリカは、世界で一番難度の高い旅先だ。そんな中を旅しているプレッシャーから、原因不明の病気で寝込んだ。旅をして6年、この時ほど旅をやめたいと思ったことはない。

ベナンからナイジェリアへ入るには、悪名高い賄賂国境を越えなければならない。当然のように自分も賄賂を要求された。しかしそれは脅しというものではなく、実に機械的なもので、担当官の瞳に色はなく、どこか心が感じられなかった。

地元の人も通過儀礼的にお金を払っている。ただしそのマネーのほとんどは権力者の懐に入り、その下にいる公務員には雀の涙ほどしか入ってこないらしい。他の職業と比べて給料が低い警察官にある意味同情をしている部分もあって、賄賂を払っている人もいるようだった。

担当官に旅のことを質問され、答え始めると、徐々に彼の瞳に人間としての色が戻っていくのがわかった。僕も楽しくなり、一生懸命に自分の旅の様子を話す。

「俺は『OGUCHI』。日本から来て、自転車で世界を6年間旅しているんだ」

「え～『OGUCHI』だって？　俺の弟も『OGUCHI』だぜ」

日本でいう「太郎」ぐらいポピュラーな名前らしい。意気投合し、気づけば1時間が経っていた。そして信じられないことが起こった。

「おまえ、腹減ってるか？　この弁当食っていいぞ。そんな棒っ切れみたいな細い身体して。あ、小遣いもやる。なんか食って栄養つけろよ」

担当官がまさかの〝賄賂返し〟をしてくれた。

ベナンの国境からナイジェリアの首都ラゴスに向かう道のりは、150kmくらい。その間に検問所が15ヵ所あり、通称〝賄賂街道〟と呼ばれる旅人泣かせの道である。

軍隊、警察、自警団がそれぞれカラーの違う制服を着て検問所に立っていた。全チームで、計15人いる。なかなかの威圧感だが、国境でのおっちゃんとのやり取りのおかげで、僕には余裕と笑顔が戻っていた。

「お！　おまえ、それ自転車か？　何してんだ、こんなところで？」

15人に一斉に囲まれた。肩から下げたマシンガンに目がいきつつ、笑顔を忘れずに自己紹介した。

「Sweet！（おまえすげーよ！）」

マシンガンを持ったまま握手を求められ、一緒に写真に映ることに。しまいにはスポーツで優勝した時のように、胴上げ状態で担ぎ上げられた。ラゴスの人々も僕が接した限りでは、誰も危害を加えてこなかった。僕がメールアドレスを渡すと、好きな女の子からもらったかのようにはしゃぐ彼ら。人生に3度あるというモテ期が、こんなところでようやく僕にもやって来たようだ。

季節は雨季ど真ん中。カメルーン、ガボンは細かいアップダウンの連続。ただし土砂降りでも、道がアスファルトなのが救いだった。困ったのはコンゴ民主共和国で、国のほとんどが泥道。一度雨が降れば、いまあった轍は川となる。インフラなんて言葉はどこへやらだ。

「何なんだこの道は！　あなぼこだらけじゃん！」

ここまで来て、「The Africa !」を感じられるとは……。いや、この中部アフリカこそが、僕が本来求めていたアフリカなんだ。道も電気も食料も水もない、人が生きていくのには過酷な世界。目の前で命そのものが躍動している。

コンゴ民主共和国のキンシャサからアンゴラのルアンダを経由して、ナミビアのウィントフックまで約2800㎞。ここまで線でつなげば、モロッコから南アフリカのケープタウンまで自転車の轍が繋がる。

「やったぜ！　このルートを『おぐちルート』と勝手に名付けちゃおう！」

ヨーロッパに戻る前に回った東アフリカルートと合わせて、アフリカをぐるっと一周したことになる。

振り返れば、2年間かけてアフリカ大陸を旅していた。次は、ついに最後の大陸となるアメリカ大陸に挑む。大陸北部のアラスカから、2年間かけて南北を縦断する予定だ。僕の自転車地球一周旅も、いよいよ終盤戦に突入する。

Column 3

世界の美女たちと異なる価値観

世界中を回って、その土地土地の美女にたくさん出会った。アフリカだとエチオピアは"美女の宝庫"と言われるだけあって、キレイな人が多かった。骨格も細いし、スラーッとしていて、世界の美女コンテストに出られると思うような女性が、行く先々の村にいた。このあたりはアラブ人と血が混じるエリアなので、その影響もあるのだろう。

南米はエキゾチックな美人が多かった。コスタリカ、チリ、コロンビアは特に美人が多い"南米3C"と言われるが、その中でも個人的にはコロンビア人女性がおすすめだ。というのも……なぜかコロンビアの女性は日本人男性が大好きだった。「日本人が唯一モテる国はここじゃないか……?」と思えるぐらい僕もモテた??日本人女性は世界で人気だが、日本人男性はなかなか海外ではモテない。コロンビアは遊び人の男が多いらしいので、真面目な日本人が好まれるのかな……と思った。

面白いなと思ったのは、イランの女性。"鼻と胸"を整形する人が多いが、日本とは反対に、「鼻を低くして、胸を小さく」する。ペルシャ人にとって、鼻と胸が大きすぎるのは見た目のバランスが悪くなるかららしい。

鼻バンドのようなものをしている女性を街でよく見かけたが、それも「手術しましたよ」とあえてテープを残しているのだとか。"手術ができるお金を持っている"というアピールなのだと聞いて驚いた。

第4章 南北アメリカ編

アラスカの大自然、ここでは人間がお客様

［2014年7月／アメリカ］

「そりゃ〜植村さんも冬に来て登りたくなるわ〜」

空の上から見るマッキンリーは、ため息しか出ないほど神々しかった。手の届きそうなその距離の間には、気の遠くなるほどの長い隔たりがあるけれど、なんで人間はその距離を忘れて近づこうとするのだろうか。

1984年、登山家の植村直己さんは世界で初めてマッキンリー冬季単独登頂を果たすが、その後消息を絶った。ただどこかで、植村さんはアラスカでまだ生きているんじゃないか……とも思っている自分がいる。

ナミビアを出て地中海のマルタ、キプロス、そこから中東を数ヵ国経由してローマへ。そして、ローマからアイスランドを経由してアラスカ入り。3週間で15回もフライトした。最後の10日間は、毎夜飛んだ。さすがに時差ボケと気圧障害が出ている気がする。この間に、厳しい入国審査を受け、いくつかの荷物が盗難によって紛失した。自分の性格上、なかなか捨てられないものばかりだったから、

これはこれでちょうどいいのかもしれない。荷物が少ない方が、拾えるものも増えるはずだ。

アラスカは北極圏付近だと白夜が広がる。日が昇り始めるのが朝の3時半くらいで、沈むのが23時過ぎ。日が沈んでも、ずっと夜明け前みたいな状態が続き、ヘッドライトなしでも行動できる。

そのため時間を気にすることなく走れるし、毎食のんびりキッチンストーブを使って食事を楽しむことができる。昼寝をしたっていいし、水浴びをしたっていいし、大自然に溶け込んでヨガをしてもいい。一番のぜいたくは、自然の音しかしない場所で、アラスカの風を感じながら読書をすることだ。

そうやってここ最近は過ごしている。

デナリ国立公園。ここに北米最高峰のマッキンリーがある。

ここは自転車と徒歩と、限られた車しか侵入することを許されない神聖な場所。目の前にはムースやカリブー、コンドルなどがこちらに臆することなく姿を見せる。長野のアルプスにいる雷鳥がここにもいて、故郷を懐かしみ、心が潤んだ。

アラスカの自然の豊かさを感じながら走っていると、なんと目の前にグリズリーの親子が現れた。

「くまのプーさんと全然違う！」

母親は子どもを守るために警戒心が強いことから、親子で現れたら気をつけろと、現地の人に言われていた。熊除けのベアーベルもこの大自然では意味をなさなかった。最低50ｍ以上の距離を取らなければならないのに、突然のことだったのでわずか20ｍの距離にいた。懐に常備している1万円くらいするクマ撃退スプレーを震える手で握り締め、焦る心をどうにか落ち着かせ、彼らとの距離を少しずつ取った。

「や、やばい……。最悪！　む、向かい風だ……」

スプレーの射程距離が5ｍという以前の問題で、いま撒いたら自爆してしまう。しかし、しばらくすると彼らは何事もなかったかのように隣の藪の中に去っていった。焦りと興奮と不思議な感動で、混乱状態に陥った。

「これがアラスカなんだ……」

ここでは僕はお客様なんだ。無害であれば彼らは何もしてこない。「ようこそ」ぐらいにどっしり構えた動物たちに敬服の念を覚えた。

同時に人間がメインという考え方ではなく、この地球、この自然の中では人間はあらゆる生物の中での一つの存在でしかないということに改めて気づかされた。

耳鳴りが響く中、悠久の流れに身をまかせて

［2014年7月〜8月／カナダ］

一度その世界に入れば、俗世間とは隔離される。電気はおろか、完備された室内や浄水された水は当然ない。

だが、聖水のような水が目の前に豊富にある。飢餓に襲われたら、そこにある生命の水をありがたく頂戴させてもらえばいい。

「Yukon River」

何度も口の中で転がすその言葉。僕が旅を思い描いた10年前から、憧れだった聖域だ。

ユーコン川に行くために、アラスカとカナダの国境付近にあるホワイトホースの町にまず向かった。しばし自転車から下り、320㎞に及ぶユーコン川下りを楽しむとしよう。

アラスカから南米アルゼンチンの最南端ウシュアイアまでは、パンアメリカンーハイウェイという名の国道が約18，000km続いている。ホワイトホースはその国道沿いにあるので、自転車乗りが立ち寄るポイントになる。アラスカを走ってる頃から、出会ったサイクリストの多くがここを目指していた。

ここでひさくんという自転車乗りの大学生と出会った。彼はカナダの北部とアラスカを2ヵ月くらいかけて自転車で旅をしていた。自分とは逆のルートを取っていて、ホワイトホースで交差したというわけだ。

僕が「ユーコン川を下ろうと思っている」と話すと、ひさくんに「カヌーをやったことがないから、いっしょにどうですか？」と誘われて、ともに川下りをすることになった。彼はカメラマン志望で、「大学を卒業する前にどこか行きたいんです。おすすめはありますか？」と聞かれたので、僕はアウトドアを満喫できるし、絵になる風景もたくさんあるニュージーランドをおすすめした。

ひさくんと話をしていて思ったのは、当たり前のことではあるが、旅をする人によってその楽しみ方も違うということ。彼は釣りが大好きだったから、川下りをしながら釣りの仕方を教えてもらった。ビールとかワインを船が沈みそうなくらい積んでいったのだが、最終日には1日10本くらい飲んでいた。僕は自分一人ではそんなに飲まないので、これはこれでいつもと違い楽しかった。

「良平さん、彼女いるんすか？　社会人って面白いっすか？　なんで会社辞めちゃったんすか？」

　彼の若者言葉に、もう何年も日本に帰ってないことを感じながら、こうやって一人の人と話し込むのは面白いなと再確認した。ここにはグリズリーもいるし、カヤックでのトラブルもある。お互いの命を一蓮托生（いちれんたくしょう）にしているから、社交辞令の付き合いなんかできない。

「良平さん、いつか僕が良平さんの伝説を映像に残しますから。その時を楽しみにしていてくださいね」

　自然の音と、彼の声しかしないその場所で、僕は彼と生涯のうちの大切な7日間を過ごした。

　浸食風化作用でいまでも少しずつ肥大し、姿を変え続けているユーコン川。それは、何億年もの太古からのミリ単位の変容だ。僕もその悠久の流れを味わう。一日のうちに春夏秋冬がやってくるような環境。風や雨も気まぐれで、喜怒哀楽の表情を見せる。どの表情も秀麗としか言いようがない。

森の住人たちの軽やかな声とともに目覚め、時刻がてっぺんを迎える頃にようやく迎える夕暮れ時に、大きな森に抱かれて優しく眠る。今日が何日目なのか、朝なのか夜なのかもわからなくなる。

静寂の中、身体に響くような耳鳴りがする。これまでの旅でも、砂漠や標高5000mの高地、川の中、海の中……本来無音のはずの空間で、同じような耳鳴りがしたことを思い出す。

ユーコン川から帰ってきた僕は、不思議な空気に包まれていたと思う。気のせいかもしれないが、動物や花々や木々、空や大地と会話ができるようになっている気がした。

西アフリカを旅した時と同じで、警戒心を張っていたのはこちらだけであって、それをとっぱらってしまえば、自然に畏怖することはあっても恐れることはない。日に2〜3回出会う熊にも笑顔を見せてしまう。

懐かしい硫黄臭を感じて立ち寄った天然温泉を前に、あることに気づく。ユーコン川で水浴びをして以来、シャワーを浴びることを1ヵ月以上していなかった。

その環境がなかったのでもなく、めんどくさいからでもなく、その必要性を感じなかったからだ。森からいただいたラズベリーやキノコやクレソン、そこに住む生き物と同じものを食す。本来の自然臭を放つ僕の身体は彼らと同じ世界にある。

久々に鏡で見る自分の顔は、思ったよりも悪くない。憑き物が落ちたようなすっきりとした精悍さがあった。頬はほど良く削げ落ちていて、目は肉食動物のようなギラついたそれとは違い、かといって小動物が見せる怯えたようなそれでもない。良く言えば、野生の馬が持つ、穏やかに澄み、どこか達観した目のようだった。

思考の変化までもが悠久の流れとなり、いままでの濁流を見事に静水に変えてくれる。人の入らない場所にはそれなりの理由がある。これからもそんな場所に、少しでも行ってみたい。

死の淵に落とされた僕を待っていたオアシス

［2014年9月～10月／アメリカ］

世界を旅してきて思うこと。

「3億人を有するはずなのに、アメリカ人の観光客が少ない」

ある人がアメリカンジョークを飛ばしてた。

「イギリス人は、イギリスが世界のスタンダードだと思ってる。アメリカ人は、アメリカが世界一だと思ってる」

あながち間違いではないと、アメリカを見たいまは思う。これだけケタ外れなものがあれば、世界を見る前にアメリカだけでも時間が足りなくなる。

アメリカの国立公園は、世界遺産より質が高いかもしれない。国立公園のレンジャー（自然保護官）の中には、「ユネスコって何よ〜？」と本気で言ってる人もいた。

そんな国立公園の中に、世界最高気温を記録する場所がある。

「Death Valley」

日本語に直訳すると〝死の谷〟。世界で一番高い気温を記録した時は56℃だった。カリフォルニア州のシエラネバダ山脈東部にあるデスバレー国立公園は長野県とほぼ同じ広さで、アメリカでも一番の規模を誇る。まったくアメリカのスケールはでかいし、だからこそわかりやすい。

カナダでは標高は常に1000m以上あった。アメリカに入り、ユタ州からは1500mを切ることがなくなった。それが、グランドキャニオンよりラスベガスへ向かうと、標高は2100mから400m近くに下がる。さらに下っていくと、海面より下になった。

なんとなくだが、海より下にいるというだけで、息苦しい。2ヵ月近く高地にいたせいか、身体がその感覚に追いついていかない。尋常じゃない汗のかき方がそれを表していた。

それでもなんとかラスベガスへ着いた僕は、「思い出づくり」くらいの調子でカジノに出かけた。

ところが、まさかの入店拒否。

ネクタイこそしてないが、サンダルも短パンも履いてないし、一応僕が持ちうる服の中での一張羅を選択したつもりだった。

「臭いがダメだったか?」

嗅覚的な臭いではなく、長年に亘って染み付いた旅人臭だろうか。

「ま〜人生がギャンブルみたいなものだから、カジノなんかあえて行く必要ないかな！」

なんて、負け惜しみを言ってその場を後にした。

その夜はダウンタウンから遠く離れたエリアの図書館裏で野宿した。スタッフの人には了解を取ってテントを張らせてもらった。屋根もあり、明かりもある安全な場所だ。

寝静まった頃、テントの外からダミ声が聞こえてきた。見ると外には図書館のセキュリティらしき男がいた。どうやら昼間のスタッフから連絡がいっていなかったようで、出て行くように言われた。

「20m先の境界線から先なら管轄外だからテントを張ってもいいぜ」

何かイラっとさせる発言。それでも、モメて彼の仕事を増やしてもしょうがないと思い、寝ぼけ眼で片付け始めた。

「カチリッ」

背後で何か重い鉄の音がする。僕は似たような音を西アフリカで何度も聞いたことがある。特にナイジェリアでは、警察署に泊めてもらいに行くと銃を向けられ、厳しい所持品検査をされたことがあった。

「わかっている、この場合はゆっくり……」

振り返ると、そこに立っている男の目は先ほどのものではなかった。動機などない、ただ銃に魅せられた者の目。

西アフリカで警察官に向けられた銃には理由があった。しかしこの男の場合、それがない。行為は威嚇を通り越している。

その男は安全レバーを外し、トリガーを引き、まるでアラン・ドロンのように血しぶきを防ぐようなしぐさで片手を銃の上にかざした。

きっと彼にとっては、小動物を銃で狙うぐらいの感覚なのだろう。アフリカで感じた危機より、この男の〝気まぐれ〟の狂気の方が怖かった。「It's just kidding！（冗談だよ！）Hahaha……」

全身の血が逆流していくのを感じた。この男に命を弄ばれていることが、屈辱以外の何ものでもない。僕は蹂躙（じゅうりん）されたんだ。

その晩は悔しさと、後から込み上げてきた恐怖で眠れるわけはなかった。朝日が出るよりも早く、街を出た。

僕が向かったのは、よりによって死の谷だった。

まるで墓場へ向かうようなものだ。身体も心も渇き切っていた。涙すら出ない。すべてが死の淵に向かう流れのように感じた。

でも、どんな時でも人は淵から這い上がれる。そして僕を突き落としたのも人であれば、引き上げてくれたのも人だった。

ミネソタの田舎からラスベガスに出てきて、20年。人に、街に疲れたマイクとマリアンヌは、犬も寄らぬような砂漠の辺境に流れ着いた。僕は道中で彼らと出会い、家に招かれたのだった。

ボロボロだった僕に優しく声をかけてくれ、食事や宿をタダで提供してくれた。渇いた心の泉に雨が降る。温かい雨だった。

そして泉の底からは、じわりとしみ出る確かな感情を感じた。

僕のオアシスはラスベガスにはない。砂漠であってもこの場所が、僕の心のオアシスだ。

別れ際、その感情はすぐに頬を伝う涙となって現れた。

ありがとう、マイク、マリアンヌ。ギリギリのところで救われたよ。今度は晴れやかな気持ちでこのオアシスに遊びに来よう。そう思いながら、僕は死の谷を抜けていった。

気づけば日本人記録達成、それでも旅は続く

［2014年10月〜2015年4月／アメリカ〜メキシコ］

死の淵から這い出た僕が次に向かったのは、標高3000mを越えるタイオガ峠の先にあるヨセミテ国立公園。その谷間のひっそりとしたところに、第二次世界大戦中に敵国人と目された日系移民が収容されていたマンザナー強制収容所があった。僕は走りながら黙禱を捧げた。

峠を上り切ってもアップダウンは続いたが、最終的にはヨセミテバレーに向けて、一気に標高を1000m以上下げた。谷が見えた瞬間は、大地が割れたのかと思う光景だった。

ヨセミテはあらゆる自然の生物の聖域。熊や鹿やコヨーテ、キツネ、リスやアライグマが現れるのは日常茶飯事だ。ヨセミテの自然との調和の管理は徹底している。いや、ヨセミテに限らず、これはアメリカの国立公園すべてに言えることだ。

ヨセミテを堪能してからは、次なる国、メキシコへ向かって走り出す。向かう前、「メキシコは危険だから、マジで気をつけて！」と会う人、会う人に言われた気がする。

メキシコに入ったのは、2015年のクリスマスを迎える少し前だった。メキシコ最北の州、バハ・カリフォルニアに入ると、そこには砂漠が広がっていた。国境を越えるなり、すえた臭いとドブ川沿いの無数のバラックが目に入った。最初の屋台で食べたタコスでいきなり腹を下した。

「やっぱ旅はこうでなくっちゃ……」

北米でのぬくぬくした生活から離れ、こたつから急に外に出た時の寒気のようなものを肌が感じている。

メキシコ西部にあるバハ・カリフォルニア半島を走り続けた3週間は、電子音から離れた。話し相手がいなくなり、会話への欲望がそうさせたのか、サボテンが人間に見えてきた。サボテンの森を走っていると、彼らと僕の存在の違いを見失いそうになる。

半島を走り抜け、メキシコの突端を船で渡って、マサトランという町へ。そこで地図をもらおうと思ってインフォメーションセンターに行くと、「日本人がいるよ」と日系人の方を紹介してもらった。

地元で議員を務める方で、その人が通訳に入ってくれてスペイン語で現地の新聞に載せてもらった。メキシコでは有名なファミリーがいくつかあるのだが、その一つの春日家という由緒ある家の人だった。かまぼこ工場を経営していて、作りたてのかまぼこをいただいた。味はまさに日本の味！　久々のかまぼこに心も身体も魚のように跳ね上がった。

メキシコでは、多くの日系人や日本人と交流を深めた。特に、2つの日本人宿での出来事は記憶に残っている。

一つ目は首都メキシコシティにある「ペンションアミーゴ」。僕はここで、まーさん、ケンさん、アッシュという3人の日本人と出会った。

彼らとは、毎朝、毎昼、毎夜、ことあるごとに何かのトピックについて熱く語った。彼らの良いところは、相手を否定しないこと。あくまでも相手を敬い、自分の変化を愛せる存在だった。

「流れ星ってなんで願いがかなうか知ってる？　流れている間に願いごとを言い

切ることなんて、とてもじゃないけど間に合わないよね。だから前もって願い事を考えておくんだよ。その願い事を思った回数分が行動に現れて、結果、流れ星に託した願いがかなう――言霊(ことだま)ならぬ、〝願い霊(たま)〟だね」

そんな話を毎日のようにし、ここでの居心地の良さに、気づけば全員が宿泊の予定を延長していた。

もう一つの宿は、メキシコの南部の山岳地帯に位置する町サン・クリストバル・デ・ラス・カサスにあった。かつてサパティスタ民族解放軍が拠点としたオベンティックの麓にある日本人宿「カサカサ」。

ここでは夜な夜なソウルフルな歌声が響き渡り、訪れた人たちの心を濡らす。ここに泊まっていた旅人がある時言った。

「僕たちには〝戦う場所〟と〝帰る場所〟がある。そのどちらも持てることは幸せなんだ」

歯が浮くようなクサイ言葉も、この場所なら許される気がした。僕はここに来てから、スマホの電源をオフにすることが増えた。

メキシコへ来る前に受けた「メキシコは危険」という忠告も、この頃にはもう忘れていた。同時に、僕は世界中を旅しながら、気づいたら帰る場所をたくさん作っていたことを、心からうれしく思った。

そんなメキシコを後にして、カリブ海へ。キューバやバハマ、ジャマイカ、ハイチ、ドミニカ共和国やトリニダード・トバゴといった数ある国々を一気に回った。一連の旅費は57万円。40日間で、使った宿は6回。お金は抑えたつもりだったが……ややかさんでしまった。

こうしてカリブ海を回り終え、再びメキシコに戻ってきた時、僕は一つの事実に気がついた。

自転車地球一周の「日本人記録」を達成していたのだ。

それまでは、兵庫県の中西大輔(なかにしだいすけ)さんが約11年間で130ヵ国を回ったのが日本人最高記録だった。僕はその時点で137ヵ国に達していた。

ただ自分では、この記録はオマケぐらいに感じていた。記録はいずれ超えられるものだし、国もパレスチナやコソボなどをカウントしているかなど、人によってルールはバラバラ。地球一周の定義もあってないようなものだ。

僕が旅をし始めた頃は行きづらかった、ミャンマーやブータン、ロシアやベラルーシなどはいまでは旅をしやすくなった。逆にシリアやイエメン、アフガニスタンやパキスタンなど、20年くらい前の王道ルートは難しくなった。感覚としては、昔に比べて人も物もインフラが整ったが、貧富の拡大により治安は悪くなったと思う。ビザが取れる国が増えた一方で、旅が安全にしづらくなったと言えるだろう。

でも大切なのは自分の走りたいところを走ることと、自分が決めた目標を達成すること。これからはそれだけに集中しようと思った。

ケチャップ強盗に遭遇し、警戒心をMAXに

［2015年4月～8月／グアテマラ～エクアドル］

ベリーズ、グアテマラ、エルサルバドル、ホンジュラス、ニカラグア、コスタリカ……。中米の残りの道のりは順調だったが、最後のパナマでつまずいた。パナマとコロンビアは陸続きなのだが、一般人が使える道がない。ダリエンギャップと呼ばれるジャングル地帯が国境なのだが、コロンビア側の国境を越えたあたりに、コカイン製造工場を守るゲリラが住み着いているらしく、環境と治安の面

で難しい陸路国境越えとなる。

多くのツーリストは、飛行機かボートを使うことを強いられる。飛行機は料金が高いので、今回はボートで行くことに決めた。ただしボートが出ているのは不定期。さらに、小型〜大型まであるボートの中で、乗りたかった中型ボートがなかなか見つからなかった。

それでも他のサイクリストやバイカーから情報を集め、ボートのオーナーとメールで何度もコンタクトし、ようやく念願のボートを確保。しかし、まさかのドタキャンをされ、このために準備していた1ヵ月は報われなかった……。

翌々日、不本意だが飛行機で最後の大陸となる南米、コロンビアに降り立った。辿り着いたのはコロンビアで首都ボゴタに次ぐ第2の都市と言われるメデジン。かつて〝麻薬王〟パブロ・エスコバルが支配した町だ。

以前は有名な旅行ガイドブックにさえ載らない街だったが、いまではメトロとロープウェイを使った合理的な交通システムを整備し、〝世界一の革新的都市〟と言われるほどに発展した。

また、メデジンは、中心地にあるボテロ広場をはじめ、アートで街起こしをしたことでも知られている。街を埋め尽くす色鮮やかなアートの数々を目に焼き付けながら、いくつもの角を曲がり、僕はひたすら歩き続けた。ここは、自転車で走り抜けてしまうにはもったいない景観を持った街だ。

この街にある日本人宿「シュハリ」は、世界を旅した中でも一番のお気に入りとなった。ここはコロンビア人の学生と共同生活が楽しめ、毎夜毎夜スペイン語と日本語でのクロストークをした。お互いがつたない言葉を優しさで補おうと努力するため、語学学習だけではない、素晴らしい異文化交流ができた。

メデジンから1200km、11日間、アンデス山脈のジェットコースターのような峠の厳しさを味わいながら、エクアドルの首都キトに到着。ここからガラパゴス諸島へ向かう予定だ。マダガスカル、アラスカと並ぶ大自然の宝庫であるガラパゴスは出発前から楽しみにしていた場所。僕の心は躍っていた。

そんな浮かれ心を見透かされたのか……噂で聞いていた、通称〝ケチャップ強盗〟が僕の背後に迫っていた――。

キトの旧市街は交差点ごとにこれでもかと警官が立ち、交通整理もしているので、僕の警戒心は自然と緩くなっていたのかもしれない。

特に細い路地でもなく、人通りも多いところで、パンを頬張りながら歩いていると、背中から腰にかけて何かが当たる感触がした。触れてみるまでもなく臭いでそれとわかる。ケチャップならぬ、サルサだ。

ここからは噂通りに、すぐに優しそうなおじさんがティッシュを持って近づいてきた。そこからはいい人を装った人たちが何人かで僕を囲み、注意をそらせている間に貴重品を盗むのだ。

「その流れはわかっているぞ」

僕は相手との距離を取る。

大人になったと思うのは、びびることもなく、深追いもせず、ただ相手に「そのパターンは知っている」と諭すだけの微笑を浮かべられるようになったこと。優しくティッシュを持ってきたおじさんと、たまたま通りかかった風のおじいちゃん、僕にサルサをかけたスーツのおじさん、スリの実行犯と思われるおばちゃんの4人が、僕の周りを行ったりきたりしている。

結局その4人は、僕の沈黙と冷笑に耐え切れなかったのか、逆ギレぎみにタクシーを捕まえて逃げていった。

しばらくすると、さっきの輩たちに数ブロック先でまたすれ違った。どうやらいくつかのグループが終日、獲物をハンティングするハゲタカのように徘徊(はいかい)しているようだ。

この件があって、僕は改めて常日頃、自転車に助けられていることを実感した。自転車を降りれば僕はただの旅人。守る盾もヘルメットも身につけていないし、素早く逃げることもできない。

長旅をして、どこか旅を知った感があった僕に、とてもいいお灸(きゅう)をすえてくれたと思う。

以前に比べて発展して豊かになったとはいえ、ここは南米。これからはもっと気を引き締めて、警戒レベルをＭＡＸまでもっていこうと心に誓ったのだった。

死線をさまよった末に輝きを見た〝宝石の道〟

［2015年9月〜12月／エクアドル〜チリ］

9月2日から15日までの2週間、ダーウィンの進化論で有名なガラパゴス諸島へ。僕がこれまで見たことがない生物が、目の前だけじゃなく、上も下も、右も左も埋め尽くす。

ニュージーランド、アイスランド、スリランカにマダガスカル。僕が大好きな国は、みんな島国だ。固有の生物や自然、文化が残されてるからだろう。それで言えば、日本もそうだ。世界中の人が行きたいって言ってくれる理由も、わかった気がする。

陸を歩けば、身体中を砂だらけにしたアシカたちがひなたぼっこをしている。海の中に入れれば、銀幕のカーテンが下りてきたのかと思うくらいの魚群に取り囲まれる。空を見上げれば、飛行機かと見紛う鳥影が飛び交っている。

よく、ガラパゴスは「地上の楽園」と言われるが、ここに住む「動物」たちよりも、そんな筆舌に尽くしがたい光景を観ることができる「人」の方がパラダイスなんじゃないかと思った。

ガラパゴス島から戻り、次に訪れたのはペルー。

ペルーには北部からリマまでの1000㎞くらいにわたり、自転車乗りにとっては有名な〝強盗街道〟と呼ばれるルートがある。自転車乗りは高価なものを持っていると思われていて、これまで被害に遭った話を数多く聞いていた。だから、僕も注意しながら進んでいった。

そうして辿り着いたのが中西部の山岳地帯ワラス。標高が富士山と同じくらいで、〝アンデスの奥秘境〟と呼ばれている場所だ。

有名な山は世界に数多くあるが、南米ではパタゴニアなど南部の山がよく知られている。しかし、中西部の山岳地帯は本当に山が好きな人たちが集まる、知る人ぞ知る登山家の聖地と言われているらしい。

12月も中盤に差し掛かる頃、僕はペルーからボリビアに入国した。富士山とほぼ同じ標高で、世界一高い場所にある首都ラパスには、約90万人の人々が住んでいる。そしてここから550㎞くらい南下したところに、どうしても見てみたい場所があった。

それが、ウユニ塩湖。

〝奇跡の絶景〟や〝天空の鏡〟などと言われる世界最大級の塩湖で、周囲100㎞くらいは何もない場所だ。

朝はわりと風が穏やかだが、昼から夜はものすごい強風が吹く。塩の大地はとても固いので、テントの釘が深く刺せない。そのため、強風でテントがあおられて寝られない日々が続く……。

ガイドでさえも、GPSを持っていても迷ってしまうことがあるらしい。確かに見渡す限り何もなく、うっすら向こう側に何かが見えるけれど、ほぼ蜃気楼のような感じだ。

そんなウユニ塩湖からチリのアタカマへ抜けるルートに、サイクリストにとって三大聖地と言われる通称〝宝石の道〟がある。

宝石の道は約450㎞。7日間での走破を目指した。最初から最後まで、岩や石、砂道の荒れたオフロードのために食糧も水もいままで以上のストックが必要となり、荷物の重さは70kgにまでなった。

一日の気候変化は、7日間乱れることはなかった。早朝の気温はマイナス11℃。昼からは台風なみの向かい風が吹いた。

そんな中ではテントを立てることさえままならない。こんな荒野で風よけになる場所を探すのは、雑草の中で四葉のクローバーを探すようなものだった。時にはテントポールも使えず、テントを布団のようにして身体を包んで寝ることもあった。

たまにツアーの車が通ったりするが、ほとんどの時間は、だだっ広い大地に自分だけ。誰一人存在しない孤独な世界……。

植村直己さんも、きっと最初は近くの里山遊びが楽しかったんだと思う。それが少しずつ目指す山が大きくなっていき、いつの間にか世界一高い山を目指すようになっていったんだろう。

僕もそう。いきなりここに来ていたら、怖くて仕方がなかったと思う。世界中のいろんな場所を経験してきたからこそ、いまはこの孤独の世界を楽しめている。ウユニ塩湖は世界的によく知られた場所だが、ウユニという地域全体はもっと広大で、塩湖はその一部にしか過ぎない。自転車乗りにとっては、塩湖から続く宝石の道こそが本当の冒険ができる場所だった。

平坦な道をひたすら進むエリアを抜け、標高4500m地点になると、道の傾斜も厳しくなる。そこでは、自転車を漕いで進むことは不可能で、原付きバイクのように重くなった自転車を押すことになった。

高原地帯の薄い空気で乾燥した指先に渾身の力を込めると、爪が肉をえぐり、指先からにぶい血が噴き出した。何度も転んでは、天に向かって咆哮を繰り返し、己の無力さを恨んだ。

「なんでこんなところへ来ちまったんだよ……」

自問を繰り返しながらも進んでいると、廃墟のようなボロボロの建物に住んでいるある一家に出会った。彼らは一目でインディヘナ（先住民）とわかるような人懐っこい顔つきと、登山家特有の高山焼けの肌をしていた。

「Feliz Navidad！（メリークリスマス！）」

こんな人のいないところだったので暦を忘れていたが、その日はクリスマス。彼らはプレゼントだよと言わんばかりに、スープを差し出してくれた。しかし、満身創痍（まんしんそうい）でボロボロの胃に、そのスープは刺激的すぎた。独特の臭みのあるリャマ肉が、弱った胃に追い打ちをかける。

「この味はどこかで……？　あ、チベットのヤクスープの味だ。そうか、あの時もそうだったな……」

旅をして2年目。標高5000mのチベットに挑んだ僕は、自分の限界にぶち当たった。しかし、限界を知ったうえで、それを乗り越えた時の達成感と感動は唯一無二だった。

思い起こせば、大自然に直面した中央アジアのパミール高原、マイナス20℃の極寒の東欧での45日間キャンプ生活、砂漠と民族紛争地帯を抜けたシノミヤルート、死線を越えた西アフリカのおぐちルート……どれもが自分の限界へのチャレンジだった。

身体の内側で心臓がドクドクと煮えたぎった血流を流す音が聞こえる。そこからは見える世界が変わった。

そびえる雄大なアンデスの山々、含まれる成分によって異なる色合いを見せる湖、もくもくと水蒸気を上げる間欠泉……それらはまるで、宝石箱をぶちまけたような鮮やかさだった。

僕はその瞬間、このルートの本当の名前の由来に気づいた。宝石のようなキラキラした輝きは、自分の心の中にあったのだと。それを思い出させてくれる場所を、自転車乗りは宝石の道と呼んだのだ。

世界一美しい道が教えてくれた自然の厳しさ

［2016年1月〜3月／チリ〜アルゼンチン］

宝石の道の終着点・チリのアタカマから1800㎞走って、中部にある首都のサンチアゴに到着した。中学生の時からのイメージの通り、チリは細長い国。約4400㎞、日本の北海道から鹿児島くらいの距離だ。走ってみてその長さを実感し、サンチアゴで少しの間、自転車も含めて静養することにした。

その後向かったのは、宝石の道と同じく、自転車乗りの三大聖地の一つと言われるパタゴニアの「アウストラル街道」だ。

チリとアルゼンチンにまたがっているルートで、アップダウンの多いフィヨルドの地形が特徴的。海抜0m〜1000mを、とにかく細かく上下する道が1000㎞ぐらい続くのだが、そのうち600㎞はアスファルトではない未舗装の道だ。

アンデス山脈に当たった偏西風が、大量の雨を発生させることで、いつでも新緑のような〝世界で一番美しい林道〟を生む。ここに着いて、自転車乗りなら誰しも憧れを抱く場所というのがうなずけた。

ここ南米には、「カサ・デ・シクリスタ」と呼ばれる、自転車乗りだけを無料でホームステイさせている家が10軒以上ある。このアウストラル街道のシーズンは、12月〜3月いっぱいと短い。このワンシーズンに集まってくる世界中のサイクリストの数は、年に100人を超える。僕も多い時は、一日に15人も会ったことがある。

ここは氷河の解け水がそこら中にあるため、道中はキャンプも簡単にでき、夜は焚き火をしながら、〝ワイルドライフ〟を楽しめる。

チリからアルゼンチンへの国境を越えるためには、直前にフェリーで湖を対岸へ渡らないといけない。4月には船が終わってしまうため、それに間に合うように走る必要がある。フェリーで越えた後は車が走れないエリアで、そこからは自転車乗りと徒歩の人だけが国境越えを許されるのだ。

アウストラル街道のスタート地点のチャイテンからしばらくは自転車に乗って走ることができたが、徐々に自転車から降りて押さなければ登れないところが出てくる。

自分の経験値を過信し、この8年間で恐らく最大の積載量となった自転車の重さは95kg。未舗装路と急傾斜で自転車バッグが地面にひっかかり、転倒した回数は冗談じゃなく100回を超えた。

その度に全身に落雷が駆け抜けるような痺れを感じ、後からじわりと込み上げる疲労感に天を見上げざるを得なかった。

「世界中をこれだけ回ってきて、サイクリストの三大聖地を制覇しないわけにはいかない」

その気持ちだけで走り続ける。ただしそんな状況でも、僕の口角はどこか上がっていた。

朝晩になると寒さがかなり厳しく、朝霧が深く広がる。それに包まれながら、「大自然は厳しいがゆえに美しい」と感じた。このあたりに住んでいる人も一年の半分は夏場のような生活ができるけれど、もう半分は厳しい冬を過ごさなければならない。

アウトドアメーカー・パタゴニア社のロゴマークのモチーフになっている、フイッツロイという山。それがアウストラル街道の出口だ。この道の最後の400

㎞ぐらいは、道がダートからアスファルトに変わる。その時は「道ってアスファルトになるとこんなに走りやすいんだな……」というシンプルな事実に感動した。ただし、めでたく迎えた僕のパンク回数100回目は、なぜか未舗装路ではなくアスファルトだった。

「人生もそんなもんだよね」と納得顔でパンク修理をした。

最後に待ち受けていた林道は走りやすく、一日で越えられた。道があることは自転車旅をするものにとってありがたいが、道を作ると、自然が変わってしまうという側面もある。

人為的な道は自然を分断させ、植生を変えてしまうのだ。また、アフリカで聞いた話だが、メインロードのインフラが整って道ができたことで、現地のおばちゃんが困っていることがあるという。彼女たちはみな裸足で生活をしている。しかし、日で照らされたアスファルトは、裸足では歩けないほど熱くなってしまうのだ。

彼女たちは「便利になったけどつらいのよ」と言っていた。自転車で走る分には楽だけど、生活スタイルを変えてしまうほど影響があるのが道なんだと、パタゴニアに来て考えさせられた。

自然の美しさと厳しさを身体に刻みながら、当初15日間で駆け抜けるつもりだったこのルートを、その3倍の時間をかけて走った。

去りゆく場所が名残惜しいと感じるのは、いまに始まったことではないが、歓喜と同時に切なさをこんなにも覚える場所はなかった。

ここは確かに美しい。だがこの地で暮らす人々は、それと引き換えに大自然の厳しさを享受している。僕にはまだここで暮らす自信はない。

再訪するのにこれほど自分の成長を確かめられる場所はないだろう。それがわかっただけでもここに来た意味はあったのだと思う。

日本人がつくった理想郷が地球の裏側にあった

［2016年3月～6月／アルゼンチン～ブラジル］

アルゼンチンの最南端に到着した後、ウルグアイ、パラグアイを経て、世界最大の日系人社会のあるブラジルへと向かった。

ここに、僕の生まれ故郷、長野の人たちが移り住んで、1935年に建設した村がある。

それが、「弓場(ゆば)農場」だ。

日本一周をしている時に、弓場農場で働いたことがあるという旅人に会って話を聞いたことがあった。世界を回っている間も、ここの名前を旅人から聞くことが度々あって、行ってみたいと思っていた。

弓場農場では、生活の9割を自給自足でまかなっている。使われている言語は日本語。ここで生まれ育った人はもちろんだが、旅人も、労働をすることで食べ物と寝床を得ることができるため、日本や世界各国の旅人が常に滞在している。

自分たちで作物を栽培し、加工し、売る。

服もいらなくなったものを外からもらって着ている。何十年前からずっと、誰かのお下がりの服を着る生活だ。

そんな生活だから、何も無駄にすることはできない。豚一頭とっても、ただ食べるだけではなく、すべてを利用する。たとえば、豚の脂も湯がいて石けんにするのだ。「全部無駄にしない」という考え方は、まさに古き良き日本を感じさせるものだった。

ここで僕は、3週間ぐらい生活をさせてもらった。

弓場農場の暮らしにひかれて、骨をうずめにくる日本人も多い。また、お給料は出ないけれど寝食には困らない。あまりに居心地がいいことから、そのまま定住する旅人もいる。中には僕と同じサイクリストもいて、ここが気に入って、結婚して子どもまでいる人もいた。

「うちのおじいちゃんは長野で生まれた人だけど、私はまだ日本にも長野にも行ったことがないのよ」

50歳近くになる、おかあちゃんが言っていた。

そんな人もいっぱいいる。同じ日本人が地球の裏側で、直接的な接点はなくても、暮らしぶりや文化でつながっていることが不思議だった。

こうして久しぶりに日本の文化に触れたことで、僕は故郷に想いを馳せる時間が多くなった。

生まれ故郷の良さは、外を見ないとわからない。僕も大学生になって上京した時に、長野の山の素晴らしさがわかったし、世界に出てから長野のりんごのおいしさを身にしみて感じた。「自分の故郷って……すごかったんだな」と。

ずっと長野にいたら、きっとそれらのすごさに気がつけていなかっただろう。そうした気持ちを呼び覚ましてくれる暮らしが、弓場農場にはあった。強制でも矯正でも虚勢でもない生き方。

「いまあるものへの感謝」を忘れそうになった時、僕は再びここを訪れようと思う。

絶望の中に見た〝笑顔〟という名の天然資源

［2016年6月〜9月／ブラジル〜ベネズエラ］

ブラジル北部からフランス領ギアナ、スリナム、ガイアナのギアナ3ヵ国を抜け、僕はついに自転車地球一周旅における最後の訪問国、157ヵ国目のベネズエラ北西部のメリダに到着した。

コロンビアとの国境まで、あと2日。無事にコロンビアのメデジンまで走れば、きれいに南米を一周して戻ってきたことになる。

ここに辿り着くまでに、さまざまな苦悩と葛藤があった。

現在のベネズエラは経済、治安が過去最悪と言っても過言ではない。入国するにあたって友人らに情報を求めたが、有効な情報は手にできなかった。原因の特定できない恐怖を、人々が抱いているように感じられた。

「最後の最後に、あえて危険を冒す必要はないかも……」

入国するのを何度もためらった。しかしこれまでも、テロや内戦といった状況以外は、走るという選択をしてきた。

困難な状況をつくりだしている要因が突発的なものではなく、その国が抱える〝持病〟のようなものであれば、行くと決めていたからだ。入国を決めた以上は、危険を回避する手段、情報を最大限に探った。

入国後、ベネズエラの現状がすぐに見えてきた。

米、パスタ、砂糖、ミルク、そしてトイレットペーパーなどが圧倒的に不足している。〝ハイパーインフレ〟を起こし、物価は2年前の10〜25倍にふくれ上がっていた。

パンを買うのに開店前から行列ができ、オープンと同時に奪い合いが始まる。パンを買えずにとぼとぼと家に帰るお父さんの背中を見るのがつらかった。

追い打ちをかけるように、軍事政権からかかる重税。ビール業者やコーヒー農家、酪農家は生産すればするほど赤字になり、ついには工場や農場の閉鎖や業務停止に追い込まれた。

次々と国外に逃げていく国民。ただし逃げるだけの体力と財力のあるものはまだいい。

一般市民のか細き声は、誰に届くのだろうか？

街からは〝外灯強盗〟の手によって光も消え、食糧輸送車をハイジャックする輩も現れた。まだ日が残る夕方ですら、太陽より早く人が街から消える。

かつて南米一の国力を誇っていた国の勃興と没落。アフリカのように最初から物がない状況とは明らかに違った。

一度上げてしまった生活レベルを下げるのは非常に難しい。トイレで使用していた紙が新聞紙となり、雨水となり、最後には放置するしかない状況になった時、人は自らの誇りを保てるのだろうか？

いまの時代に一番ふさわしくない言葉、それは「まさか」だ。

この現状を目の当たりにした時、対岸の火事ではないと思った。今後の日本、いや世界の先進国たちの未来予想図が、ベネズエラに縮図となって現れているのかもしれない。

しかし、漫画『北斗の拳』で描かれた世紀末のような状況でも、人々の優しさとプライドは残っていた。

世界157ヵ国を回った中で、もしかしたら一番親切にしてもらった国が、このベネズエラかもしれない。軍人だろうと、警察官だろうと、農民だろうと、酔っぱらいだろうと。自分のことで精一杯のはずなのに、自分なんかにも「がんばれ！」と言って応援してくれ、どこへいってもとびきりの笑顔で優しく接してくれた。

「僕もね、いつかあなたみたいにどこか別の国を旅してみたいんだ。僕の国でもそういうことしてもいいいんだよね？」

初めて見た外国人が僕だとその少年は言っていた。

「若い時に好きになった人が、あなたみたいな素敵な笑顔をしてたのよ。ちょっとだけ昔を思い出しちゃってね、なんかうれしくなっちゃった」

背中とお腹に赤ちゃんを抱きながら掃除をしているお母さんが言っていた。

ここは〝笑顔の天然資源国〟だった。

彼らは自分たちの国の状況をよくわかったうえで、少しでも早く良くなりたいという希望を持っていた。

経済的な豊かさを失っても、心の豊かさを失ってはいなかった。

「応援しています」「祈っています」

いつかの僕は、これらの言葉をなんて無責任な言葉なんだろうと思っていた。しかし、自転車で世界中を回り、さまざまな国を訪れ、さまざまな人々と出会い、さまざまな出会いと感動をもらった僕は、いまこう言いたい。

「僕はあなたたちを応援しています。ずっとずっと、あなたたちの幸せを祈っています！　ずっとずっと！」

標高1630mのメリダから、一度、アンデス山脈の西側へと下る。そこからコロンビアの国境を越えて、再びアンデスの山々を上る。

そしていよいよ僕の自転車地球一周旅は、終着地点・ニューヨークへと向かって行く。

自転車地球一周旅の終着点で去来した想い

［2016年9月／アメリカ］

2016年9月16日、南米大陸を後にし、最後の地、ニューヨークへ向かった。

なぜゴールをニューヨークにしたのか？

2007年の日本一周から、いや、自転車地球一周を計画し、貯金を始めた2003年からすでに決めていた。

ただなんとなく、漠然と。しかし憧れはあった。

田舎で育った僕にとって、幼少期から、旅、異国と言えばアメリカ、それもニューヨーク。

きっとテレビでやっていた「アメリカ横断ウルトラクイズ」の影響が強かったんだと思う。

「ニューヨークへ行きたいか〜！」

「自由の女神に会いたいか〜！」

幼少期の思い出はひどく単純で、刷り込まれやすく、そして褪（あ）せづらいものだ。

その記憶をひもとくと、映画の影響があったことにも気づく。

『スタンド・バイ・ミー』

『いまを生きる』

『ショーシャンクの空に』

『イージー・ライダー』

『アメリカン・ヒストリーX』

『バスケットボール・ダイアリーズ』

『ギルバート・グレイプ』

『ニューヨーク、アイラブユー』

　何よりもお気に入りなのは、『グッド・ウィル・ハンティング／旅立ち』のラストシーン。ベン・アフレックがマット・デイモン演じる親友の旅立ちを祈り、見上げた空に微笑みかける。僕はいま、彼が見上げた同じ空を、同じ場所で見ている。

　アメリカ入りしてからは、ニュージャージーにある知り合いの家に泊めてもらっていた。タイムズスクエアはニューヨーク島の中にあるので、そこまでは橋を渡って40㎞ぐらい走ることになる。

ゴールを目指すその日は、ニューヨークで国連総会があったため、ニューヨークの街の警戒レベルはめちゃくちゃ高くなっていた。そんな中、大荷物をつけてマンハッタン島を目指した。

「バッグに何が入っている？　おまえ、まさかボンバーマンか⁉」

ニューヨークポリスマンらしく、両手を腰のベルトの上に置くポーズが映画で見た通りで、思わずニヤけてしまった。

「8年半、自転車で地球一周旅をしてきて、そのゴールがニューヨークなんだよ！」

「Oh my god !!!　Welcome to NewYork !!!」

やっぱりニューヨークは最高だぜ！

最後の道のり……正直、ゴールの実感は全然なかった。ただしこれまでの旅が走馬灯のように蘇る。

自転車で地球を一周したが、世界のすべての国を見たわけではないし、世界一の記録をつくれたわけでもない。

ただし、旅をする前から強い意志と覚悟を持って、旅のゴールを常にイメージし続けた。それは胸を張って言える。

旅の途中でも、いや前でも後でも、「帰国後になりたいであろう自分」を持てたのなら、いつでも帰っていいんだ。いまはそう思える。

ゴールはどこにでもあったのだ。

２０１６年９月25日、12時ぴったり。憧れ続けたニューヨークのタイムズスクエアのきらびやかに輝くコカ・コーラ社のネオン看板の下で、僕はついにゴールした。

８年半、１５７ヵ国、１５５,５０２㎞。

ついに僕の自転車地球一周旅が終わりを告げた。

ゴールでは友人たちと、取材をお願いした「週刊ＮＹ生活」の編集長の三浦(みうら)さんが待ち受けてくれていた。

その人たちの喜んでくれている笑顔を見ながら、僕は改めてこのゴールは、僕一人のものではなかったと感じた。

本当に本当にありがとう。

ただしみんなに祝福されても、実感はまだ湧かない。

最終的に故郷の長野に帰り着いた時に、さまざまな感情がこみあげてくるかもしれない。ただ、なんとなくわかっている。

おそらくそのぼんやり感は変わらない。

それは今回の旅の終わりが、僕の夢の終わりではないからだ。

すでに旅の半ばから、次の道が続いているのがわかっていた。

自転車地球一周旅の終着点は、あくまでも果てない夢の途上で、僕はいま、「on the road（途上）」のままなのだ。

81	デンマーク	101	マリ	121	アイスランド		
82	オランダ	102	ブルキナファソ	122	アメリカ		
83	ベルギー	103	ニジェール	123	カナダ	140	エルサルバドル
84	ルクセンブルク	104	ガーナ	124	メキシコ	141	ホンジュラス
85	フランス	105	トーゴ	125	キューバ	142	ニカラグア
86	イギリス	106	ベナン	126	バハマ	143	コスタリカ
87	アイルランド	107	ナイジェリア	127	ジャマイカ	144	パナマ
88	モナコ	108	カメルーン	128	ドミニカ共和国	145	コロンビア
89	アンドラ	109	ガボン	129	ハイチ	146	エクアドル
90	スペイン	110	コンゴ共和国	130	セントクリストファー・ネーヴィス	147	ペルー
91	ポルトガル	111	コンゴ民主共和国	131	アンティグア・バーブーダ	148	ボリビア
92	モロッコ	112	アンゴラ	132	ドミニカ	149	チリ
93	モーリタニア	113	バチカン市国	133	セントルシア	150	アルゼンチン
94	セネガル	114	チュニジア	134	セントビンセント及びグレナディーン諸島	151	ウルグアイ
95	ガンビア	115	マルタ			152	パラグアイ
96	ギニアビサウ	116	キプロス	135	バルバドス	153	ブラジル
97	ギニア	117	レバノン	136	グレナダ	154	仏領ギアナ(*2)
98	シエラレオネ	118	カタール	137	トリニダード・トバゴ	155	スリナム
99	リベリア	119	バーレーン	138	ベリーズ	156	ガイアナ
100	コートジボワール	120	クウェート	139	グアテマラ	157	ベネズエラ

小口良平 自転車地球一周の旅路
2007.03〜2016.10

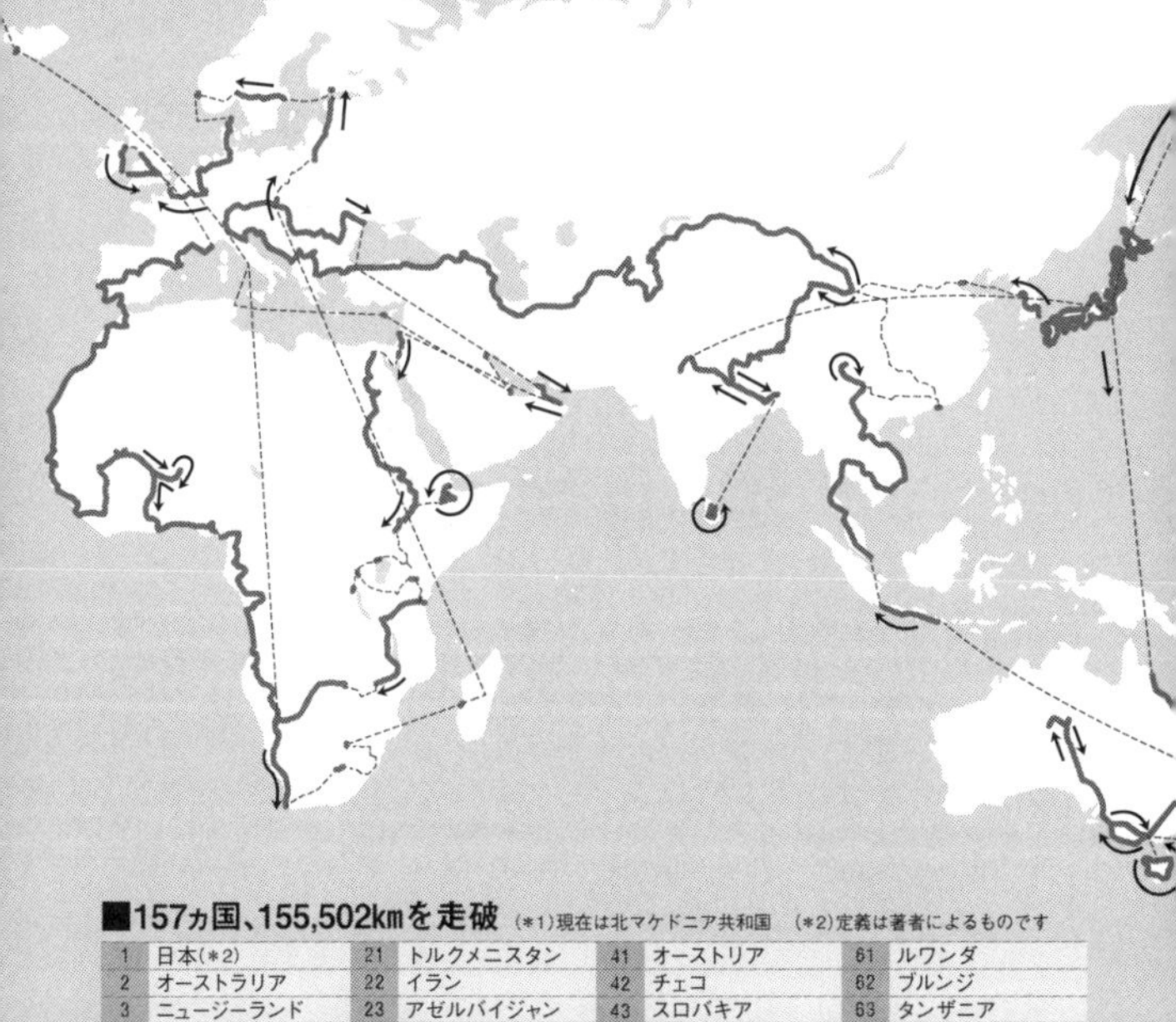

■157カ国、155,502kmを走破 （＊1）現在は北マケドニア共和国　（＊2）定義は著者によるものです

1	日本（＊2）	21	トルクメニスタン	41	オーストリア	61	ルワンダ
2	オーストラリア	22	イラン	42	チェコ	62	ブルンジ
3	ニュージーランド	23	アゼルバイジャン	43	スロバキア	63	タンザニア
4	インドネシア	24	アルメニア	44	ハンガリー	64	マラウイ
5	シンガポール	25	ジョージア	45	セルビア	65	モザンビーク
6	マレーシア	26	トルコ	46	ルーマニア	66	ジンバブエ
7	タイ	27	ギリシャ	47	モルドバ	67	ザンビア
8	カンボジア	28	ブルガリア	48	ウクライナ	68	ボツワナ
9	ベトナム	29	マケドニア共和国（＊1）	49	アラブ首長国連邦	69	ナミビア
10	ラオス	30	コソボ（＊2）	50	オマーン	70	南アフリカ
11	中国	31	アルバニア	51	ヨルダン	71	レソト
12	ネパール	32	モンテネグロ	52	イスラエル	72	スワジランド
13	インド	33	ボスニア・ヘルツェゴビナ	53	パレスチナ（＊2）	73	マダガスカル
14	バングラデシュ	34	クロアチア	54	エジプト	74	ポーランド
15	スリランカ	35	スロベニア	55	スーダン	75	リトアニア
16	韓国	36	イタリア	56	エチオピア	76	ラトビア
17	カザフスタン	37	サンマリノ	57	ソマリランド	77	エストニア
18	キルギス	38	スイス	58	ジブチ	78	フィンランド
19	タジキスタン	39	リヒテンシュタイン	59	ケニア	79	スウェーデン
20	ウズベキスタン	40	ドイツ	60	ウガンダ	80	ノルウェー

Column 4

再会を誓った“サイン”Tシャツ

旅をしている最中、出会った人たちからTシャツに“サイン”をもらっていた。結果、2000人以上の人たちからサインをもらい、サインTシャツは50枚を超えた。

旅を始めた当初は一人で走っている気持ちだったけど、続けていくうちに、みんなの気持ちもバッグに入れて走っていた。その象徴のようなものが、このサインTシャツだった。それは僕にとって重荷ではなく、むしろ追い風になってくれた。再会の約束は、僕にとってこれからの人生における希望のようなものだった。

旅の間は、つらくなった時にそれを見返すことで「あの人はいま何をしてるのかな……旅をやり遂げて、必ず再会しよう!」と思うことができた。僕がちゃんとゴールして帰ってくることをみんな望んでるだろう……と勝手に思うことで、モチベーションを保っていた。

サインの内容は自由なのだが、僕からは「2020年、あなたは何をしているか」というテーマで書いてほしいとお願いしていた。僕自身もそうだけど、大人になると、夢を他人に話す機会がなくなっていく。でも、このサインTシャツには、2000人分の夢が書かれている。

僕はこの夢が詰まったタイムカプセルを開ける日を心から楽しみにしている。同時に、少なくとも2000人の世界の人々と再会するという楽しみが、これから先の僕の人生にあることを想像してワクワクしている。

第5章 夢の持つ魔法の力

人と比べない生き方が心に余裕を与えてくれる

旅から帰ってきて、「変わったことは何ですか?」とよく聞かれる。旅に出る前の僕は自信がなかったけれど、自転車で地球一周することができたから、いまの自分は自信満々!……というわけではない。それに「日本の社会から逃げて、8年半、好きなことをやってきただけでしょ?」と言われたら、「そうですね」としか言えない。

ただ、昔といまで自分の中で変わったところがあるとしたら、〝自己嫌悪をしなくなった〟こと。その余裕は、自分で決めたことをやり切って帰ってこられたからこそ生まれたものだと思う。

自己嫌悪は、他人と自分を比べることで生まれる。

大学時代にバックパックでチベットを訪れ、〝人々の多様性〟に触れて感じたこの想いは、世界を回って確信に変わった。

アフリカで電気や水道、もちろんテレビもない場所へ行った時のことだ。彼らにはそこにあるものがすべてだった。「自分はこれを持っていない」とか「あそこに行けばこれがある」とか、他と比べることもなく、自分の周りにあるものを大切する〝シンプルライフ〟を送っていた。

周りからの情報が多すぎると、大切なものを見失ってしまう気がする。

もちろんアフリカだけではなく、僕は世界中で「人と比べない生き方」をしている人々とたくさん出会ってきた。

世界には70億人の人がいて、異なる文化や価値観を持って生きている。すべての人たちから共感を得ることは難しいけれど、その中で１００人ぐらいは僕のやっていることに「いいね！」と言ってくれるかもしれない。旅の間はそういう人たちに助けられてきた。

世界中のどこかに必ず仲間はいる。大切なのは、その仲間に好きになってもらえたら、こちらもその仲間の良いところを好きになってあげることだ。

旅に出る前の自己嫌悪にまみれた自分はもういない。

ただ、いまだに自信はないままだ。

「こんな自分でもいいじゃん」と思える、心の余裕が生まれただけ。いまだに僕は凡人だし、〝スーパーマン〟ではない。

発信すれば可能性は〝0〟から〝1〟になる

第1章に書いた通り、日本一周旅を始めた時から、ブログで旅の様子を発信していた。見ていてくれた人たちは、応援してくれる人がほとんどだったけれど、中には「そんなアホなことをして」とか、「親に心配をかけるな」みたいに思っていた人もいるかもしれない。

発信すれば責任も生じるし、批判されることもあるかもしれない。

一方で、発信することによって、「それ面白いね！」と言ってくれたり、協力してくれる人が集まってきたり、困った時に助けてくれたりする。そして何より良いのが、自分の中で〝覚悟〟ができたことだ。

だから、発信することで目標に近づけることはあると思う。

僕の場合、発信することで出会えた人たちは、旅で偶然出会った人たちと同じぐらいの〝財産〟だ。

才能のある人は、自分の力だけで夢を実現できるかもしれない。でも、それは本当に限られた人だと思う。僕も含めてほとんどの人は、誰かの助けを受けなければ、夢をかなえることはできないはずだ。

「言ったもの勝ち」とは、こういう時に使うものだと思う。

大人になればなるほど、夢ややりたいことを誰かに話すのが気恥ずかしくなるもの。でもそうやって黙っていたら、誰にも伝わらない。話していれば、協力してくれる人が現れていたかもしれないのに。それはすごくもったいないことだ。発信をして、仲間を増やし、時には助けてもらいながら、目標に向かって進んでいく——。それは〝凡人〟に許された、夢をかなえる方法の一つだと思う。

僕は発信することで可能性を〝0〟から〝1〟にしたかった。自転車地球一周の旅をするにあたって、可能性が〝0〟では始められなかったかもしれない。実際に僕の旅を見てくれて、自転車ショップやメーカー、アパレルブランドなど、数々の人たちがサポートしてくれた。

夢を持ったらまず言葉にしてみるといいと思う。

最初は笑われるかもしれない。その夢が荒唐無稽なものであれば、きっと大半の人は笑うだろう。

発信できないのは、自分のやっていることに自信がなかったり、言って批判されることが怖かったりするからだと思う。

まず親に「あんたやめときなさい」と言われるかもしれない。

仲の良い友達には「アホだな〜」と言われるかもしれない。

実際に僕は、「無理でしょ」と言われる方が多かった。それでも言い続けているうちに、「誰かに言った手前、やらないのは情けないな」と思ったら、それが覚悟に変わっていた。呪文のように「やらなきゃ、やらなきゃ」って唱えてたら、いつの間にか自分をその気にさせていた。

〝言霊〟というのは本当にあると僕は思う。

言葉にした時点で凡人にとっては、大きな一歩を踏み出せていると思うのだ。

目標達成に必要なのはイメージを作ること

自転車地球一周旅では、序盤の日本とオーストラリア、ニュージーランドを回るのに、2年かかった。その時は最低でも120ヵ国を回ることを目標にしていたから、単純にあと60年かかることを想像して、めまいがしたのを覚えている。ただし、旅の計画を立てている段階で、僕の中ではゴールまでのイメージは明確にあったから、そこであきらめることはなく、旅を最後までやり切ることができた。

僕が自転車地球一周旅を達成できたのは、その〝イメージ〟があったからだと思う。

イメージができてからは、大・中・小の目標を立てた。

大目標は、もちろん自転車地球一周旅を達成すること。中目標は、たとえば「学生時代に行ったチベットを再訪する」「世界三大聖地を走る」など。小目標は、「今日はおいしいごはんを食べよう！」といったものだ。いま思うと、〝小〟の目標が意外と大事だったのかもしれない。

確かにニュージーランドの旅を終えた時点で、計画していたスケジュールからは遅れていた。ただ、それに余りある感動を日々得ることができていたからモチベーションは落ちなかった。

そこからは「今日を楽しめたら、明日は明日の風が吹く」ぐらいの気持ちで、旅を続けていった。実際、そう思わなければやっていけない時が度々あった。

その日々の積み重ねが、地球一周という結果に結びついたのだと思う。

スケジュールは大事だけど、それは旅のイメージを自分の中で作るためのもの。それに縛られて、無理に事を進めたら本末転倒だ。

大・中・小の目標を立ててスケジュールを組むのだけど、「今日を精一杯、楽しむ」ことも忘れない。

それが旅を続けられる秘訣かもしれない。

百聞は一見にしかず、百見は一験にしかず

「旅をするのにおすすめな国はどこ?」と聞かれることが多い。いろいろあるけれど、旅をする前に比べて大きく印象が変わり、好きになった国を一つ挙げるとすれば、それはイランだ。

イランに入る前は、正直〝危ない国〟というイメージがあった。友達にも「行

かない方がいいんじゃない?」と言われたことがある。

でも、イランに行ったことのある旅人からは、「イランが世界で一番〝おもてなし〟のある国だった」と、真逆のような意見も聞いていた。

実際にイランに行ってみると、その旅人の言葉が正しかった。

いろいろな場所でキャンプをいっしょにしたし、家にも泊めてもらったし、ごはんもたくさんごちそうになった。

イランは絨毯(じゅうたん)の上にたくさんの料理を並べて食べるスタイルで、必ず家族いっしょに食事を摂る。そこに混ぜてもらって食べるごはんは、古き良き日本にもあった温かみを感じさせた。

そんなイランで出会った人々が、口を揃えて言っていたことがある。

「この国で感じたことを、君の言葉で、君の大切な人に伝えてほしい」

イランは1979年にホメイニという指導者による革命が起こって以降、アメリカとの関係が悪くなってしまった。

「日本は国交上、アメリカと仲が良い。日本のニュースでは、僕らの国のことをあまり良く言ってはいないだろう」

確かに僕も良い印象を抱いていなかった。

「君がここでの体験を君の大切な人に伝えてくれることで、その誤解は解けるかもしれない。僕らはいつの日かその誤解が解けて、たくさんの人が僕らの国に遊びに来てくれたらいいなと思っている」

彼らはアメリカと国としては対立していても、個人としてはアメリカ人は好きだし、アメリカの映画も電化製品も大好きだと言っていた。

それを聞いて、人と人との間には国境がないと思ったし、改めて、「自分で体験することの大切さ」を痛感した。

こういう経験ができたことは僕の自転車旅の財産だし、これを伝えていくことが、僕ができる彼らへの〝恩返し〟なのだと思っている。

世界を見れば、地元の本当の価値がわかる

海外でさまざまな文化に触れたことで、僕は自分が生まれた場所の価値に気づくことができた。

まず、長野でいえば「山」。

ニュージーランドのマウントクック、スイスのアルプス、アフリカのキリマンジャロ、アラスカのマッキンリー、アルゼンチンとチリにまたがるパタゴニアのアンデス……世界中の有名な山を見たうえでも、長野の山は本当に素晴らしいと思う。

長野は縦に長いので、北部と南部で山の質感やバリエーションが異なる。そして季節によって彩りや楽しみ方が多彩だ。

春には花の息吹。

夏には極上の登山。

秋には収穫のご褒美。

冬には白銀の世界。

四季折々をこんなにもはっきり楽しめる山は世界にもそうない。この美しさは、世界遺産レベルに優に達していると思う。

長野に住んでいた時は、これが当たり前だと思っていた。いまはこれほどまでに心を〝ウキウキ〟させてくれる山が近くにあることの幸せを嚙みしめている。

「りんご」もそうだ。

実家にいる時は、母親が出してくれる度に「またりんごかよ!」ぐらいに思っていた。だけど、地球一周旅を終えて実家に帰ってきた時、久しぶりに食べたりんごのおいしさは感動的だった。

「僕はいままで本当においしいものを食べていたんだな……」

海外に出なければ、その価値に気づけてはいなかっただろう。

「自分がどんなところに生まれて、そこにはどんな素晴らしいものがあるのか?」

それに気づけた人が、故郷へ戻ってくるのかもしれない。

もちろん戻らなくてもいいと思う。それも人それぞれだ。それでも、「自分の地元の価値」について考えることは大切だと思う。

その点、僕は長野の素晴らしさに気づくことができた。それだけでも世界を回った意味はある。

この先、またいろいろなところへ行くかもしれないけれど、必ず最後にはここへ戻ってきたいと思えるから。

〝逃げ〟ではない旅をすることに意味がある

〝自分探し〟のために旅に出る人はいるだろう。でも、周りからは、自分探し＝逃げのように見られることがきっと多いと思う。そして実際、探しに行ったけど、結局何も見つからなかった……なんてことも。

旅の途中で出会った人たちの中にも、どういうイメージで旅に出ているのか、よくわかっていない人は多かったと思う。

それも否定はしない。旅には計画性のあるものと、計画性のないものがあり、どちらにも良さがある。

今回の僕の旅に関しては、明らかに前者だった。

何年もかけてお金を貯め、じっくり準備をした。自分の旅を〝逃げ〟にしたくはなかったし、これまでいろいろなことから逃げ続けてきた僕にとって、もはやこれにすがるしかなかった。

旅の途中もつらいことがたくさんあったけれど、応援してくれる人がいるし、みんなに言った手前もう帰れない。何より、昔の自分に戻るのが嫌だった。

途中でやめたら、人生がふりだしに戻る気がしていた。

「それだけは絶対にいやだ！」

その反骨精神でモチベーションを保っていたところもある。

僕にとって旅に出ることは逃げではなく、むしろ旅を途中でやめることの方が逃げだった。

旅を終えたいま思うのは、自分を探しに行ったというよりは、自分の中にあったものに気づきに行ったような気がする。

本来、僕が持っていたもの。

人と出会うことが好きで、みんなで話すことが好きで……それは探すまでもなく、自分の中にあったのだ。

〝逃げ〟ではない旅をやり遂げたことで、僕は自分の中にある価値に気づけたし、少し自分のことを好きになれた。

「時間」「お金」「覚悟」があれば挑戦は可能

地球一周の旅を始める前、ある年配の方に会った時に、「僕も若い頃に君みたいな旅をしたかったよ」と言われたことがあった。

「なんでしなかったのですか?」

「お金がなくてできなかったんだよ」

「じゃあいまはお金も時間もあるし、できるじゃないですか」

「いまはそんな覚悟ないよ」

僕はこの会話の後、旅だけじゃなく、夢を追いかけるには「時間」と「お金」と「覚悟」が必要なんだと知った。

自転車でたとえると、「時間」は〝前輪〟、「お金」は〝後輪〟、「覚悟」は〝ペダル〟。どれ一つ欠けても自転車は前に進まない。

僕の場合、覚悟を固められたのは節約生活のおかげだった。

お金を貯めて、誰かに文句を言わせない状況をつくってしまうことが、まず必要だった。

僕自身も、いきなり両親に自転車で世界を回りたいとは言えなかった。だから、お金のめどが立ったら、そこで初めて親に言おうと思っていた。

貯金をし始めてから一年くらい経って初めて親に言って、それから友達に言うのには、もう2年かかった。

3年で600万円くらい貯まった時にはようやく、たいていの人には「自転車で地球一周をしようと思っている」と言えるようになった。日本一周の前に800万円、帰ってきて世界へ出る前にさらに貯金をして最終的に1000万円が貯まった時には、僕の覚悟は決まっていた。

お金が貯まっていなかったら、誰も納得させられないどころか、きっと馬鹿にされていただろう。ものすごいカリスマ性も人望もある人だったら、「アイツならできるのかも」と思わせることができるかもしれない。

でも、僕はそういう人間ではなかった。僕のような凡人が、まずできることは、お金を貯めることだった。

やっていることに自信があるかどうかではなく、お金が貯まったという事実が自信に変わり、覚悟に変わる。そこまでいければ、あとは夢に向かって突き進むだけだ。

〝3つの言葉〟があれば世界中を旅できる

旅の間、大事にしていた〝魔法の3つの言葉〟があった。

「こんにちは」
「ありがとう」
「おいしい！」

現地の言葉で「こんにちは」と話しかけて相手の興味を引き、何かしてもらったら2つ目の「ありがとう」でこちらの心を開く。

これだけでもだいぶ相手との距離は縮まるが、一番現地の人と仲良くなれたのが、「おいしい！」だった。

たとえば日本に来ている外国人を家に呼んで、「納豆がおいしい！」と言ってくれたら、「もっと食べて！」とうれしくなると思う。

「食」にはその国の文化が表れているから、食事をおいしく食べる＝文化を受け入れるということになる。自分の国の文化を受け入れてくれる人を、邪険に扱う人はそうそういないだろう。

日本語の「食」という字は、「人」を「良」くすると書くが、旅を通じてそれは本当だと実感した。

アフリカではいままで食べたことのない料理もたくさん出てきたけれど、「おいしい！」と言ったら、「これも食べてみろ」とか、「今日泊まっていくか？」とか向こうも喜んでくれて、すぐに仲良くなれた。

もちろん、エチオピアのインジェラのように味がキツいものもあった。それでも僕は「おいしい！」と言い続けた。

アフリカの奥地のように言葉がよくわからない場所では、人が話しているのを聞いたり、食事をしている時に言っている言葉を聞いたりして、その土地での〝魔法の3つの言葉〟を必ず探した。

そして、この3つの言葉に加えて大切なのは、「とびきりの笑顔」。そもそも仏頂面をしていたら、話も聞いてもらえないと思う。

〝魔法の3つの言葉〟と、とびきりの笑顔。これさえあれば、世界中どこでもやっていける。

地球一周を終えた僕の2つ目の夢が始まる

旅の途中も、日本に帰ったら何をしようかとずっと考えていた。

いろいろやりたいことはあるけれど、まずは旅で会った人たちにもう一回会いたいと思った。

日本中、世界中でいろいろな人に助けてもらったので、感謝の気持ちを直接会って伝えたかった。そのうち、自分が会いに行くのはもちろんだけれど、会いに来てもらえる場所をつくればいいんじゃないかと考えるようになった。

自転車地球一周旅に続く僕の夢。

それは、僕の故郷・長野に「カフェ&ゲストハウス」をつくることだ。

日本一周をしている時からアイデアはあった。場所は旅で気に入ったところがあれば海外でもいいと考えていた。

ただ旅を終えて、故郷の素晴らしさに気づいたので、いまは長野でやりたいと思っている。そうしたら、海外の人にも長野の良さを知ってもらえる。

目標としているのは2020年のオープン。僕は旅を始めようと思った時から、10年、20年、30年のスパンで自分の目標をイメージしてきた。それは安定のない道に踏み出すにあたって、自分の中にある不安を払拭するためにも必要なことだった。

「20代のうちは苦労してがんばって、30代は好きなことをやって、40代になったらお世話になった人たちに恩返しをしよう」

僕は2020年にちょうど40歳になる。旅を始めた当初は、2020年は10年以上先だった。それがもうあと数年に近づいてきている。

「そろそろ動き出さなきゃ!」という焦りも少しあるが、「なんとかなるだろう」という気持ちも同時にある。

ゲストハウスを開くにあたって、情報や人脈はある。社会人時代に建築関係の仕事をしていたし、資格なども含めてゲストハウスのイメージは描けている。

いまだったらクラウドファンディングもあるし、「こういうことをやりたいです！」と手を挙げたら、できないこともないのかもしれない。ただ、僕の夢を実現するのはそういう形ではない気がしている。

僕が本当にしたいことは何なのか。何のために2020年という目標設定をしたのか。

僕は〝結果〟ではなく〝過程〟を楽しみたいのだ。

僕がゲストハウスをやりたいと言ったら、どんな人たちが集まってくれるのか。それを含めてじっくり楽しみたい。

僕がやりたいのは〝箱〟を作ることではない。ただの箱ならすぐにでも作れるだろう。そうではなく、〝コミュニケーションの場〟を作りたいのだ。

そのためにはいろいろな人に会いたいし、知恵をもらいたい。そして、そこで生まれる〝何か〟を楽しみたい。

僕自身、旅のためにお金を貯めている時期はやっぱりつらかったけど、希望があった。計画段階も何だかんだ楽しかったのだ。

ゲストハウスに関しても、計画から楽しめるものでありたい。

「こういうのどう？」「こうやったら楽しいんじゃない？」「こんなのやっちゃお

うよ！」……そんな会話をこれからみんなとしていきたい。

人が集まり、結果として、箱ができた、というのが理想だ。

ゲストハウスは、旅人と旅人が出会う場にもしたいと思っている。旅に行きたい人と行ってきた人が出会える場があれば、双方にとってもメリットがある。これから行く人はたくさん情報をもらえるし、相談もできる。百戦錬磨の旅人も、自分の体験を話せるし、もしかしたら旅のビギナーが考えていることに、刺激をもらえるかもしれない。

「世界を自転車で何年も回ってきた人がいるゲストハウスがあって、そこに面白い人たちが集まってくるんだよ」と噂が広まって、どんどんいろいろな人が集まってくる……そうなればうれしい。

僕が広告塔になって、発信していくことで、一人でも多くの人がつながれる場所をつくりたい。

40歳という年齢を考えて2020年を目標に設定したのだが、たまたま東京オリンピック開催と重なった。だから、海外で出会った人たちも、そのタイミングで来てくれれば最高だな……と考えて、いまはとてもワクワクしている。

ゲストハウスの名前はまだ決まっていない。それもオープンギリギリまで〝過程〟を楽しみたいと思っている。

南極、そして月。自転車冒険家の夢は続く

日本でも世界でもそうだったけれど、毎日自転車で走っていると、「月」がよく見えた。

極寒の大地で震えている時も、灼熱の太陽に照らされている時も、月はどこからでも見えた。常に僕のそばにいてくれた。

「いつかあの月を走りたいな……」

そう思うのは必然だったのかもしれない。

僕の3つ目の夢は、「自転車で月を走る」こと。

回った国が100を超えたあたりから、「地球をこれだけ遊び尽くしたから、月に行く権利はあるのかな」と思っていた。

いまは民間機関で月までロケットを飛ばせるようになってきているし、月への

移住計画なんて話も現実味を帯びてきている。

だから、100%無理ではないんだろうなと思っている。

月の前に走ってみたいところもある。

それは「南極」だ。

南極は船でのクルージングがあって、2週間、60万円ぐらいで行くことができるなど、観光地としてメジャーになりつつある。それでも、上陸して何かをするとなると話は別だ。南極半島の付け根付近には民間のテント村もあるが、もし各国の観測基地を起点や終点にする場合はその国の許可がいる。

南極点や出発地へは、ヘリや飛行機を飛ばすことになるが、1機飛ばすだけで数百万円かかる。また、もし横断するとなると、「食料補給はどうするのか」といった課題も出てくる。

あまり知られていないが南極は山が多く、1750㎞ぐらいの横断ルートでは、それらを越えていかなければいけない。その場合、ヘリで食料を輸送しなければいけないこともある。

2年後の2019年に徒歩で南極点に到達することを計画している冒険家フレ

しい。

ンズの阿部雅龍くん曰く、ルートが非常に特殊なため、だいたい1億円かかるらしい。

　賛同して出資してくれる人が現れれば不可能ではないのかもしれないが、いままでの旅とはスケールが違う。

　このレベルの冒険になると、より綿密な計画が必要になってくる。極地冒険家などは、荷物の1g単位まで計算するという。なぜ計画が必要なのかと言えば、実際に現地に行った時のためというのももちろんあるが、計画することで覚悟が決まる、という部分が大きい。それは僕が行った自転車地球一周旅も同じだった。

　僕は〝勇気〟と〝覚悟〟はまったく異なるものだと思う。挑戦には、勇気よりも覚悟の方が必要なんだと、地球一周の旅で僕は知った。

　危険な地域に「俺、勇気があるから行ってくるよ」というのは挑戦とは違うと思う。逆に覚悟がある人は、いろいろな情報を集めて、綿密な計画を立てたうえで、万が一のケースも想定して行動する。能力の高い冒険家であればあるほど、むしろ臆病者なんだと思う。

　覚悟というものは、計画があるからできてくるものだ。

これからゲストハウスをつくるように、〝過程〟での偶然の出会いやつながりを楽しみたい一方で、いままでとは次元の違う、綿密な計画が必要なことは理解している。南極や月は僕にとって未知の領域だ。

もちろん不安もあるが、そのスケールの壮大さにワクワクしている自分もいる。南極や月を走りたいなんて、地球を遊び尽くしてないとその感覚には辿り着かなかったと思う。

「次どこに行きたいの？」と聞かれて、「南極！」「月！」と答えると、みんな驚くけれど、僕にとって南極は〝158番目〟、月は〝159番目〟の行きたい場所というだけ。これまでの旅と同じ感覚なのだ。

自転車地球一周の旅の延長線上に、南極も月もある。

科学が発展したいまは、何かが実現する速度がどんどん速くなっている。そして人類はイメージすることで、進化を遂げてきた。南極も月も、僕自身が「自転車で走っている姿」をイメージすることで、現実に近づいてくるような気がする。

僕はどんな夢も、自分一人で楽しみたいわけではない。

僕の名刺の名前の下には〝友達マイスターAAA〟という肩書きを入れている。

友達づくりの名人という意味合いだ。

世界中を旅して、友達づくりは最高にうまくなったと感じている。

僕の旅は、常に人とともにあった。

僕は旅を通して、〝うまい酒のさかな〟が欲しかっただけなのかもしれない。それをつまみに、みんなと話したかったのだ。

自分が何かをしたことによって、誰かに元気になってもらえたらうれしいし、欲を言えばその人に会って話がしたい。

僕が月を自転車で走りたいのも、自分自身が楽しむだけでなく、みんなでその楽しみを分かち合いたいからだ。

誰の助けも借りないで月へ行けてしまったら、そんなつまらない話はない。一人じゃ絶対かなえられないから、夢は盛り上がってくるんだ！

月を走り終えたら、そこでのエピソードをつまみに、日本中、世界中の人と集まってワイワイ話をしたい。

僕は世界中でたくさんの笑顔と出会った。これからの僕の夢も、笑顔と出会うためのきっかけに過ぎないと思っている。

あとがき

２０１６年10月10日、約8年半の旅を終えて実家に帰った日。憑き物が落ちたようにぐっすりと眠れた……わけでもなく、旅での習慣から物音に敏感な体質となっていたため、寝つきは良くなかった。

翌朝、家族４人が朝食の席に揃った時に父が言った。

「ようやく家族揃ってごはんを食べられるな」

さらに父はこう続けた。

「母さんは一日も欠かさずに、良平の茶碗にごはんをよそって、食卓に出していたんだぞ」

それは家から出ていったものが、食いっぱぐれることなく、無事に帰宅できることを願ってする「陰膳（かげぜん）」だった。

「母さんはな、良平が自転車で旅をする気持ちを少しでも理解するために、故郷の諏訪湖を自転車で一周したんだぞ」

それを聞いて、母の無償の愛を感じた。僕が旅に出られたことも、無事に帰れたことも、この両親と、その両親を支えてくれた兄のおかげだ。

大好物の納豆たまごかけごはんを食べた時、ようやく「すべてが終わったんだ」という実感がふつふつと湧いてきた。

帰国してからの僕は、さまざまな人たちとの縁もあって、講演会などで多くの人に旅で得た経験を伝えることができている。しかし、講演会を重ねるうちに、人に認められたいという欲求が強くなり、知らず知らずのうちに傲慢になってはいないだろうか……という不安もあった。

そんな気持ちを抱えたある日、実家でぽつりと言った母の一言が、僕の心に残っている。

「実るほど、頭を垂れる稲穂かな。昔の人はうまいことを言ったものね」

母は常々言っていた。

「感謝は〝水〟のようなもの。すくってもすくっても手からこぼれてしまう。だから何度もすくい直さないといけないのよ」

その母の言葉を聞いて、自分自身が感謝の心さえ忘れなければ、謙虚さを失うことはないだろうと思った。旅を終えたいま、改めて世界中に自分のことを肯定してくれる人たちがいることに感謝している。

僕を助けてくれた人、いっしょに旅をしてくれた人、撮影に協力してくれた奥はる奈さん。そして旅の途上のエジプトで出会ってくれた、妻の麻利子。

スポンサーになってくださったパールイズミ、モトクロスインターナショナル、モチヅキ、レザーマンツールジャパン、アズマ産業、オージーケーカブト、キャットアイ、ビクトリノックス・ジャパン、オークリージャパン、ビブラムジャパン、正屋、ＳＰＡＤ、ウエハラサイクル、ファイントラック、ニコン、パナソニックのみなさま、ハタケスタジオのみなさまと若月武治さん、栗山尚久さん。

今回の出版に導いてくれた自転車仲間で、福岡でメッセンジャーの仕事をしている岸本亭くん、ＫＷＣの中村勇次さん、大河内博雄さん、河出書房新社の野田実希子さん。そして親戚一同、父と母、その両親を支えてくれた兄。

ここには書き切れない多くのみなさまに深い感謝を伝えたい。

僕にとって最高の財産である「人」と、世界中で数限りなく出会えただけでも、僕の夢は大成功だ。本当にありがとう。

小口良平

文庫版あとがき

生還してから3年半。冒険後の方が時の流れを早く感じる。帰国後、冒険についてまとめた単行本『スマイル！』を何度読み返しただろうか。自信を失うたび手に取り、「本当に8年半もこんな大冒険をしてきたのだろうか？」と、本の中の自分をまるで他人のように眺める。そして読み終わる頃には、かつての自分を取り戻し、目の前の壁を乗り越えていく。

帰国後に取り組んでいるのは、冒険を通じて学んだ「チャレンジすることの大切さ」を伝える活動だ。夢を見ることにアレルギーを持つ大人が増えた現代に、あえて青くさい言葉を連ねながら、講演会や文筆業、さらにはメディアへの出演を通して、僕が体験した世界の多様性について発信している。

また、40代を「還元の時期」と位置づけている僕は、故郷の素晴らしさを伝えるために「サイクリングガイド」としても活動している。サイクリングガイドの役目は、ただ安全に道案内をするだけではない。地域の自然を熟知したうえでコース設定をし、テンポよく的確に地域の魅力を伝えることが求められる。地域の観光スポットやカフェやレストラン、宿泊系統の事業者と、観光に訪れる人たちがｗｉｎ－ｗｉｎの関係性を築くことにより、観光事業は持続可能なものとなる。サイクリングガイドは、地域と観光者をつなぐ「コンシェルジュ」の役目を担っていると思う。

僕はこの仕事で最も必要なのは、コミュニケーション能力だと思っている。洋画の字幕が直訳では面白くないように、ガイドが自分なりの言葉や方法で、いかに地域の魅力を伝えられるか。僕は世界１５７ヵ国で出会った人たちのおかげで、言葉を超越したコミュニケーション能力を鍛えることができた。世界を生き延びるために身につけたことが、帰国してこんな風に役立っている。

故郷の長野県には日本でも有数の大自然があり、僕が住む諏訪地域には誇るべき文化や歴史がある。世界を回ったからこそ気づくことができた故郷の良さを伝えられるサイクリングガイドは、天職だと思っている。

「ない職業は自分で作れば良い」。世界では当たり前でも、日本では困難なことがある。自転車冒険に出る前の僕なら、きっとあきらめていただろう。しかし冒険を通して僕は「続けることの大切さ」を知った。サイクリングガイドの仕事を続けるうちに徐々に地域の方々に認められ、いまでは「行政サイクリングアドバイザー」という新しい仕事まで作ってもらい、地域に還元する活動をしている。それらが評価されたことで、残念ながら延期となってしまったが2020年東京オリンピック聖火リレーの諏訪地区第一走者にも選んでいただいた。冒険の時と変わらず、出会った人たちに支えられながら、僕はいまもペダルを踏み続けられている。

還元の40代の入り口は、2020年。2007年に日本一周をしていた頃から、「2020年に、旅で出会った人たちが交流できる場所を作るんだ」と言い続けていた。そして、今年はその約束の年となる。

「帰国したら何をしよう?」

多くの人が長期旅に出られない理由は、旅後の不安にあると思う。日本でサラリーマン生活をやめることは、安全なレールから降りることを意味する。その覚悟が持てないと、世界一周はもちろん、1ヵ月の旅行すらも実現できないだろう。僕は旅に目的はいらないと思う。ただ世界を見てみたい。それだけでいいはずだ。だけどいまは、したいことを正当化するための理由を無理やりでも作らないといけない社会となってしまった気がする。

僕の場合は、帰国後のことを考えずに出発した。でも、運良く冒険中に「なりたい自分」を見つけることができ、帰国後の夢を持つこともできた。それが、僕のことを知って集まってくれた人とのコミュニケーションの場を作ることだ。

日本一周の時に訪れた北海道のライダーハウスや、沖縄のゲストハウス、四国遍路宿。そして、地球一周旅でも、世界中で素晴らしい宿に巡り会えた。ウズベキスタンの「バハディール」、トルコの「ツリーオブライフ」、ケニアの「ジャングルジャンクション」、メキシコの「ペンションアミーゴ」、コロンビアの「シュハリ」、そして南米の「カサ・デ・シクリスタ」。スペイン語で「サイクリストの宿」を意味するカサ・デ・シクリスタでは、サイクリストは無料で庭先にテントを張ることができ、家のキッチンやシャワーやＷｉ－Ｆｉも使うことができる。

そんな素晴らしい宿が数ある中で、「こんな場所を作りたい！」と思わせてくれた宿がある。それが、パタゴニアの「カサ・デ・シクリスタ・エル・チャリート」だ。宿のオーナーは、フロレンシアというアルゼンチン人女性。彼女には夫と2人の子どもがいて、家族で南米を自転車で旅したことがあるという。彼女たちは旅先で多くの人たちに優しくされ、励まされ、無事に南米を走ることができた。そして、旅先で受けた優しさを還元するために、カサ・デ・シクリスタを開いたのだ。そんな彼女のホスピタリティーが評判となり、いつしかパタゴニアを走るサイクリストの観光地となるくらい有名になった。

彼女の10歳の息子フランシスコの夢は「自転車世界一周」だという。その息子の夢のモチベーションを保つためにも、彼女は積極的に世界中のサイクリストを受け入れているのだと思う。息子に世界中の文化や言葉の刺激を受けさせる。いわばサイクリストの英才教育だ。

実は小口家にも、母が作った「10歳のルール」がある。それが、長野県から母の実家がある福岡県までの電車一人旅。ドキドキ・ワクワクが2割、残りは不安で泣きそうな気持ちでいっぱいだった。無事に福岡に着き、おばあちゃんの顔を見た時の泣き出したい気持ちと、自分を誇らしく思えた瞬間をいまも覚えている。

僕も母から旅の英才教育を受けていたのではないかと思い、思わず微笑んだ。

フランシスコが僕にサインを求めてきた。

「君の夢は必ずかなうよ」

僕がそう言うと、フランシスコはいつもの2倍目を開き、大きな笑みを作った。

僕も自分に子どもができたら、世界一周自転車冒険に出てもらいたいなと、また一つ夢を持てた。


カサ・デ・シクリスタでの体験のおかげで、僕は明確に帰国後の自分をイメージすることができた。僕が作りたいのは宿の「ハコ」ではなく、建物の内側の「コミュニケーションの場」だ。そんなイメージを共有できる仲間とともに、2020年6月7日、長野県辰野町に、僕たちは人と人が触れ合える場としてのサイクルステーション「grav bicycle station」をオープンした。

サイクルステーションとは、世界中の人が手ぶらで訪れても、レンタル自転車や情報、さらにカフェやキャンプや宿泊ができる環境があり、ガイドが地域の魅力を伝えるツアーを提供している施設である。自転車に乗るつもりがなかった人でも思わず乗りたくなる、そして思わず長居したいと思うような人がいる。そんなところに、僕が世界中で知り合った人を呼びたい。僕を通して、世界中の友達と故郷の人々が仲良くつながれる場所を作る。それが、世界中でお世話になった人と故郷への僕流の恩返しだ。

ほかにも、地元への還元のために「サイクリングアドバイザー」として、観光や通勤はもちろん、健康、環境、脳の発達に自転車がいかに良い影響を与えるかを伝える事業を行っている。サイクリングガイドや行政系観光事業者へのまちづくりアドバイザー養成講座を開いているほか、辰野町に住む子どもたちと一緒に自転車で海を見に行く「自転車冒険塾」というキャンプツーリングツアーの実施などに取り組んでいる。今後は、僕と同じように日本や世界を自転車で冒険したい人たちのバックアップを行っていきたい。そして、僕のようなサイクリングアドバイザーが増えていくことで、いつか子どもたちが憧れる職業になることを願っている。

還元の40代の後は、50代、「再チャレンジの時期」だ。目指すは「南極大陸自転車走行」。そして「月への自転車旅」だ。それに向けたチャレンジは続けている。2018年にはフィリピン、2019年にはミャンマーを自転車冒険した。

特に、ミャンマーは思い出深い。地球一周旅をしていた2010年当時は、軍事政権で自由は許されていなかった。今回は、北部のバガンを出発し、文化や歴史と地形のなりが故郷の諏訪湖に近いと言われるインレー湖も訪れた。ここにもサイクリングガイドの文化があり、いま行っている活動の視点からも勉強になることが多かった。首都ネピドーでは、写真撮影が制限されるエリアもあり、民主化したいまも軍事政権の影響が続いていることを感じた。仏教国であるミャンマーは、モンクと軍とのバランスで表面的な治安の均衡が保たれているのではないだろうか。経済都市のヤンゴンでは、多種多様な人が生活しているためか、「ロヒンギャ問題をどう思うか」と地元の人からよく聞かれた。

このような経験は日本ではなかなかできない。定期的に海外で刺激をもらい、多様性のある文化を学び、世界の潮流を確認する必要性を再確認した。テレビや新聞を見て頭で理解したつもりでも、実際に目のあたりにしないと心が受け入れないのだ。

現在猛威をふるう新型コロナウイルスの影響も考えると、やはり冒険できる時に冒険をするべきだと思う。現に地球一周旅に出発した２００９年当時は安定した政情だったシリアやイエメンは、僕が訪れた２０１１年には治安の悪さで鎖国状態に入っていた。その後、まさか10年経ったいまも入国できないとは、誰が想像できただろうか？　いつでも冒険のチャンスがある時代は終わったのかもしれない。やれる時にやろう。粛々と一年に一ヵ国ずつ。１９６ヵ国の全世界を走破するのに、残り36年。76歳の頃に達成する予定だ。

現在のサイクリングアドバイザー事業でも、〝現役〟であり続けなければ、良いものは伝えられないと、異国の地を訪れるたびに実感する。僕は生涯現役だ。死ぬまでに必ず南極も月も走ってやる！

夢は発信することから始まる。発信して集まってきてくれた人たちが、僕にとって最高の財産。その財産が築いてくれるのは、家でも会社でもなく、僕の人生そのものだ。そう思えるのは、いまキッチンカウンター越しで、微笑みながら食事を作ってくれている妻がいるからだ。

帰国して2年後、僕は結婚をした。お金のない２人だったから結婚式は挙げられないけど、ウェディングドレスのような格好をして、サイクリング動画を記念に残したかった。そんな僕のワガママを妻は受け入れてくれた。役場の観光係に籍を置く妻が、辰野町の行政を巻き込み、観光地を巡りながら婚姻届を出すという、サイクルウェディングをセルフプロデュースしてくれたのだ。そんなサイクルウェディングに参加してくれた母が言った一言を僕は忘れない。

「あんたが旅をして良かったことは、麻利子さんと出会ったことだけね」

目尻をハンカチで押さえながら母は言った。

「間に合った……」

結婚当時、僕は38歳、正直結婚はあきらめていた。散々世界を放浪した息子が、両親に出来る最高の親孝行は「孫を見せること」だと思っていた。結婚は、そんな希望の轍。

僕と妻の結婚までの道のりは順風満帆だったわけではない。かと言って、艱難辛苦なわけでもない。僕たちらしく言えば、「がんばりすぎず、でもサボらず」だ。僕と妻の馴れ初めを他の人に話すと、たいがいの人は言う。「なんてロマンチックな出会いなんでしょう！」。確かに、出会ったのは結婚の6年半前で、その場所がエジプトなんだと聞けば、そう思いたくなるのも無理もない。「見た目ばかり気にしてカッコつけていたあなただったら、好きになっていないと思う」と妻は言う。自分の中にあるものを追求することが、最高のモテ男をつくるのかもしれない。皮肉にも、モテようとすることをやめることが、モテる秘訣だなんて……。僕のこんな話が、世界の男性陣に勇気を与えられたらうれしい。

2020年6月。いまの僕は次の夢に向かっている。「新しくできた家族と一緒に自転車地球一周旅をすること」。僕と妻の間に子どもができた。自転車地球一周旅をした僕のように、世間の人と違う人生を歩んだとしても、幸せになれることを証明できたと思う。むしろ、好きなことをとことん続けることによってこそ、人は幸せになれるのではないだろうか。

僕はこれからも、とことん好きなことを追求して、幸せを多くの人たちと作っていくぞ！

本書は２０１７年５月に弊社より刊行された、『スマイル！　笑顔と出会った自転車地球一周１５７ヵ国、１５５，５０２㎞』を加筆修正のうえ文庫化したものです。

果てまで走れ！
157ヵ国、自転車で
地球一周15万キロの旅

二〇二〇年 八月一〇日 初版印刷
二〇二〇年 八月二〇日 初版発行

著者 小口良平
発行者 小野寺優
発行所 株式会社河出書房新社
〒一五一－〇〇五一
東京都渋谷区千駄ヶ谷二－三二－二
電話〇三－三四〇四－八六一一（編集）
〇三－三四〇四－一二〇一（営業）
http://www.kawade.co.jp/

ロゴ・表紙デザイン 粟津潔
本文フォーマット 佐々木暁
本文組版 KAWADE DTP WORKS
印刷・製本 中央精版印刷株式会社

Printed in Japan ISBN978-4-309-41766-0

キシャツー

小路幸也　41302-0

うちらは、電車通学のことを、キシャツー、って言う。部活に通う夏休み、車窓から、海辺の真っ赤なテントにいる謎の男子を見つけて……微炭酸のようにじんわり染み渡る、それぞれの成長物語。

走ル

羽田圭介　41047-0

授業をさぼってなんとなく自転車で北へ走りはじめ、福島、山形、秋田、青森へ……友人や学校、つきあい始めた彼女にも伝えそびれたまま旅は続く。二十一世紀日本版『オン・ザ・ロード』と激賞された話題作！

HOSONO百景

細野晴臣　中矢俊一郎〔編〕　41564-2

沖縄、ＬＡ、ロンドン、パリ、東京、フクシマ。世界各地の人や音、訪れたことなきあこがれの楽園。記憶の糸が道しるべ、ちょっと変わった世界旅行記。新規語りおろしも入ってついに文庫化！

汽車旅12カ月

宮脇俊三　40999-3

一月〜十二月まで、その月ごとの旅の楽しみ方を記した鉄道旅のバイブル。『時刻表２万キロ』『最長片道切符の旅』に続く第三作目として刊行された、宮脇鉄道紀行の初期の傑作。

ニューヨークより不思議

四方田犬彦　41386-0

1987年と2015年、27年の時を経たニューヨークへの旅。どこにも帰属できない者たちが集まる都市の歓喜と幻滅。みずみずしさと情動にあふれた文体でつづる長編エッセイ。

オン・ザ・ロード

ジャック・ケルアック　青山南〔訳〕　46334-6

安住に否を突きつけ、自由を夢見て、終わらない旅に向かう若者たち。ビート・ジェネレーションの誕生を告げ、その後のあらゆる文化に決定的な影響を与えつづけた不滅の青春の書が半世紀ぶりの新訳で甦る。

著訳者名の後の数字はISBNコードです。頭に「978-4-309」を付け、お近くの書店にてご注文下さい。